PICTURES AND DRAWINGS

儿歌童谣
绕口令 谜语大全

（注音版）

The Power Of Reading

总策划／邢涛　主编／龚勋

汕头大学出版社

邀你畅游
妙趣横生 的 韵律乐园

儿歌、童谣、绕口令等韵律歌谣，语言浅显，内容丰富，贴近生活，不仅能培养孩子的语言表达能力，还能丰富他们的想象空间。儿童谜语专为孩子设计，既具有朗朗上口的韵律，又具备较严密的逻辑性和一定的疑难性，可以训练孩子的记忆、想象、判断和推理等思维能力，深受孩子的喜爱。

为了提高孩子的语言表达能力，启迪智慧，我们将儿歌、童谣、绕口令和谜语融于一书，精心编写了这本《儿歌童谣绕口令谜语大全》。全书分为儿歌童谣篇、绕口令篇和谜语篇，收录了两百多篇儿歌童谣、五十多篇绕口令和两百多则经典谜语，配有拼音，并附精美插图。全书文字简洁，韵律优美，活泼自然，富有趣味性，易读易记，让孩子在快乐的吟诵声中健康成长！

儿歌童谣篇

目录
MULU

目录
MULU

目录
MULU

目录
MULU

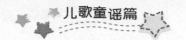

追宝宝
zhuī bǎo bao

xiǎo bǎo bao　pǎo ya pǎo
小宝宝，跑呀跑，

tóu fa cháng cháng xiàng duī cǎo
头发长长像堆草。

má què zhuī tā yào zuò wō
麻雀追他要做窝，

yàn zi zhuī tā sòng jiǎn dāo
燕子追他送剪刀，

zhuī de bǎo bao gǎn jǐn pǎo
追得宝宝赶紧跑，

lǐ fà diàn li kuài zuò hǎo
理发店里快坐好。

亲子提示

家长在诵读这首儿歌时，可以问问孩子："为什么麻雀和燕子都追着小宝宝跑呢？"借机告诉他们，要从小养成勤理发的好习惯。

看轮船
kàn lún chuán

hé lǐ bian　pǎo lún chuán
河里边，跑轮船，

chuán shang yān cōng mào zhe yān
船上烟囱冒着烟。

wá wa zhàn zài qiáo shang kàn
娃娃站在桥上看，

tā shuō lún chuán zài zuò fàn
他说轮船在做饭。

亲子提示

在教孩子诵读这首儿歌时，如果有机会，家长可以带他们亲自去看看轮船，或是给他们看一些相关图片，告诉他们轮船为什么冒烟。

biǎo
·表·

yǒu cū xì   fēn cháng duǎn   sān gēn biǎo zhēn zěn me kàn
有粗细，分长短，三根表针怎么看？

miǎo zhēn kuài   fēn zhēn màn   shí zhēn nuó dòng kàn bu jiàn
秒针快，分针慢，时针挪动看不见。

亲子提示

在教授这首儿歌时，家长可以拿出钟表，
为孩子指明钟表上不同的指针，达到学习
和认知相结合的目的。

jì xìn
·寄信·

dà xìn tǒng   mén ér xiǎo   xiǎng jìn mén   yào yǒu piào
大信筒，门儿小，想进门，要有票。

shén me piào   xiǎo yóu piào   xìn fēng shang   dōu tiē hǎo
什么票？小邮票，信封上，都贴好。

**亲子提示**

家长可以拿出贴着邮票的信封让孩子看一看，方
便的话也可以带他们到邮局看看，告诉他们寄信
是怎么回事。

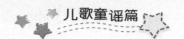

·爬山虎·
pá shān hǔ

爬山虎，墙上爬，
pá shān hǔ qiáng shang pá

绿叶好像小脚丫。
lǜ yè hǎo xiàng xiǎo jiǎo yā

秋天到，天凉啦，
qiū tiān dào tiān liáng la

脚丫穿上红袜袜。
jiǎo yā chuān shàng hóng wà wà

亲子提示

诵读这首儿歌时，家长可以结合图片让孩子对爬山虎有一个初步认识。还可以进一步讲解，告诉他们某些植物的颜色会随着季节的更替而发生变化。

·尾巴像什么·
wěi ba xiàng shén me

谁的尾巴像剪子？燕子尾巴像剪子。
shéi de wěi ba xiàng jiǎn zi yàn zi wěi ba xiàng jiǎn zi

谁的尾巴像扇子？孔雀尾巴像扇子。
shéi de wěi ba xiàng shàn zi kǒng què wěi ba xiàng shàn zi

**亲子提示**

家长在教孩子学这首儿歌时，可以先拿出这些动物的图片指给孩子看，然后采用提问的方式，让孩子回答，以便孩子记忆、背诵。

接雪花 jiē xuě huā

xuě huā piāo　xuě huā wǔ　jiē zhù xuě huā pěng jìn wū
雪花飘，雪花舞，接住雪花捧进屋。

xiǎo shǒu hǎo xiàng xiǎo bèi ké　xuě huā biàn chéng xiǎo zhēn zhū
小手好像小贝壳，雪花变成小珍珠。

亲子提示

家长可以在下雪的时候带领孩子去户外，看看雪花的具体形态，然后教孩子诵读这首儿歌，使他们学起来更快。

尾巴 wěi ba

xiǎo tù wěi ba duǎn　lǎo hǔ wěi ba cháng
小兔尾巴短，老虎尾巴长，

shé de wěi ba méi fǎ liáng
蛇的尾巴没法量，

shēn zi wěi ba yí gè yàng
身子尾巴一个样。

 **亲子提示**

家长在教孩子诵读这首儿歌时，可以结合这几种动物的图片，让他们看一看，比一比，说说哪个动物的尾巴长，哪个动物的尾巴短。

影子 yǐng zi

小白狗，小花狗，
xiǎo bái gǒu xiǎo huā gǒu

太阳底下一起走，
tài yáng dǐ xia yì qǐ zǒu

后边跟俩小黑狗。
hòu bian gēn liǎ xiǎo hēi gǒu

亲子提示

家长在教孩子这首儿歌时，可以带着孩子到太阳底下走走，
让他们亲身感受一下自己的影子是什么样的。

滑滑梯 huá huá tī

小朋友，滑滑梯，注意安全别拥挤。
xiǎo péng yǒu huá huá tī zhù yì ān quán bié yōng jǐ

一级一级爬到顶，
yì jí yì jí pá dào dǐng

"哧溜"一声滑到底。
chī liū yì shēng huá dào dǐ

亲子提示

这首儿歌讲述了滑滑梯的过程，家
长可以在带孩子玩滑梯的时候教
授，以便于孩子的理解与记忆。

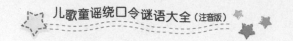

开车 kāi chē

xiǎo bǎo bao zhēn kuài huo zuò zhe shā fā wán kāi chē
小宝宝，真快活，坐着沙发玩开车。

zhāng kāi gē bo sǎ shuǐ chē jǔ qǐ gē bo dà diào chē
张开胳膊洒水车，举起胳膊大吊车。

huái li bào zhe bù wá wa dī dī dī dī lǚ yóu chē
怀里抱着布娃娃，嘀嘀嘀嘀旅游车。

亲子提示

家长在教这首儿歌时，可以一边教，一边做动作，让孩子跟着学。

路灯 lù dēng

lù dēng gāo lù dēng liàng
路灯高，路灯亮，

lù dēng dǐ xia zǒu liǎng tàng
路灯底下走两趟。

yǐng zi duǎn yǐng zi cháng
影子短，影子长，

yǐng zi hé wǒ zhuō mí cáng
影子和我捉迷藏。

亲子提示

家长可以在夜间的户外教授孩子诵读这首儿歌，一边教，一边让孩子观察自己的影子在路灯下会发生什么样的变化。

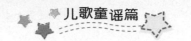

·跷跷板·

qiāo qiāo bǎn

qiāo qiāo bǎn，zhēn hǎo wán，yì tóu gāo lái yì tóu dī
跷跷板，真好玩，一头高来一头低。

nǐ shàng lai　wǒ xià qu　jiù xiàng zuò shàng xiǎo fēi jī
你上来，我下去，就像坐上小飞机。

这首儿歌适合在玩跷跷板时诵读，使孩子们既能享受到游戏带来的快乐，又在游戏中增长了知识，活跃了思维。

·手影·

shǒu yǐng

dēng ér liàng shǎn shǎn　shǒu yǐng zhēn hǎo wán
灯儿亮闪闪，手影真好玩。

hǎo xiàng zài qiáng shang　yǎn zhe dòng huà piàn
好像在墙上，演着动画片。

wá wa dāng dǎo yǎn　xiǎo shǒu shì yǎn yuán
娃娃当导演，小手是演员。

家长可以一边教孩子做一些手影游戏，一边教他们诵读这首儿歌。引导孩子观察不同的手影，培养他们的观察力和想象力。

·学一学·
xué yì xué

学小鸡，走一走；学企鹅，扭一扭；
xué xiǎo jī zǒu yì zǒu xué qǐ é niǔ yì niǔ

学小鸟，飞一飞；学青蛙，游一游。
xué xiǎo niǎo fēi yì fēi xué qīng wā yóu yì yóu

亲子提示

家长可以一边给孩子示范"走、扭、游"等
相应的动作，一边教孩子诵读这首儿歌，
以增加游戏的乐趣，锻炼孩子的模仿、协
调能力。

·电灯生气了·
diàn dēng shēng qì le

宝宝天黑不睡觉，又是哭呀又是闹。
bǎo bao tiān hēi bú shuì jiào yòu shì kū ya yòu shì nào

惹得电灯生气了，
rě de diàn dēng shēng qì le

闭上眼睛不再瞧。
bì shàng yǎn jing bú zài qiáo

亲子提示

家长在教孩子诵读这首儿歌时，
可以问问孩子：天黑了还又哭又闹，
不想睡觉的孩子，大家喜欢不喜欢？
教导孩子养成良好的作息习惯。

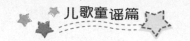

娃娃的手

wá wa de shǒu

离得远，招招手；走近啦，拉拉手；
lí de yuǎn zhāo zhāo shǒu zǒu jìn la lā lā shǒu

幼儿园里小朋友，亲亲热热握小手。
yòu ér yuán lǐ xiǎo péng yǒu qīn qīn rè rè wò xiǎo shǒu

亲子提示

家长可以借助这首儿歌，鼓励孩子多
和其他小朋友交往，锻炼孩子的交往
能力，培养他们与人沟通的技巧。

小香皂

xiǎo xiāng zào

小香皂，爱小手，
xiǎo xiāng zào ài xiǎo shǒu

小手把它搂一搂，
xiǎo shǒu bǎ tā lōu yì lōu

美得它呀翻跟头。
měi de tā ya fān gēn tou

亲子提示

家长可以借助这首儿歌告诉孩子们为什么洗手时要用香
皂，教导他们养成讲卫生的好习惯。

小象洗脸
xiǎo xiàng xǐ liǎn

xiǎo bái xiàng　lái xǐ liǎn　bí zǐ zāng zāng tā bù guǎn
小白象，来洗脸，鼻子脏脏他不管。

bà ba mā ma shuō tā lǎn　tā shuō bí zi bú shì liǎn
爸爸妈妈说他懒，他说鼻子不是脸。

亲子提示

家长在教孩子诵读这首儿歌时，可以问问孩子：小象这样做对不对？然后告诉孩子：一定要做个细心、讲卫生的好孩子。

晾褂褂
liàng guà guà

xǐ guà guà　shéng shang guà
洗褂褂，绳上挂，

xiǎo shuǐ zhū ér dī dī dā
小水珠儿滴滴答。

xiǎo bǎo bao　xiào hā hā　wǒ de guà guà xià yǔ la
小宝宝，笑哈哈：我的褂褂下雨啦。

亲子提示

家长可以在洗衣服的时候教孩子这首儿歌，同时也可以教孩子动手洗一些小物件，培养他们的自理能力，教导他们学会自己的事情自己做。

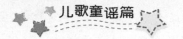

手套
shǒu tào

xiǎo shǒu ér　dài shǒu tào　wǔ gè shǒu zhǐ xiàng bǎo bao
小手儿，戴手套，五个手指像宝宝。

dōng tiān chū mén dài shǒu tào　liǎng zhī xiǎo shǒu dòng bu zháo
冬天出门戴手套，两只小手冻不着。

亲子提示

在教孩子念这首儿歌时，家长可以拿出手套让他们认识和使用，进而教他们认识更多的日常生活用品。

小兔过街
xiǎo tù guò jiē

yì qún tù bǎo bao　yì qǐ guò jiē dào
一群兔宝宝，一起过街道，

bèng bèng yòu tiào tiào　hǎo xiàng zuò tǐ cāo
蹦蹦又跳跳，好像做体操。

亲子提示

家长可以用游戏的方式教孩子诵读这首儿歌，从而使孩子们对小兔子的行走方式有更直观的认识，还可以增加与孩子的交流。

小园长
xiǎo yuán zhǎng

dòng wù wán jù bǎi mǎn chuáng xiǎo hóu xiǎo xióng hé xiǎo xiàng
动物玩具摆满床，小猴、小熊和小象。

chuáng shang yǒu gè dòng wù yuán bǎo bao shì gè xiǎo yuán zhǎng
床上有个动物园，宝宝是个小园长。

亲子提示

在诵读这首儿歌时，家长可以提醒孩子，做园长就要承担责任，要爱惜自己的玩具，不要把它们弄脏、弄坏。

星宝宝
xīng bǎo bao

xīng bǎo bao xīng bǎo bao tiān tiān wǎn shang bú shuì jiào
星宝宝，星宝宝，天天晚上不睡觉。

yuè liang mā ma lèi shòu le bǎo bao zhī dào bù zhī dào
月亮妈妈累瘦了，宝宝知道不知道？

亲子提示

家长可以在临睡前教孩子念这首儿歌，让孩子们知道，爸爸妈妈也需要休息，不然也会累坏的。

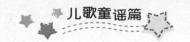

·小花猫照镜子·

xiǎo huā māo zhào jìng zi

小花猫，不害臊，不洗脸，把镜照。
xiǎo huā māo　bú hài sào　bù xǐ liǎn　bǎ jìng zhào

左边照，右边照，埋怨镜子脏，气得胡子翘。
zuǒ bian zhào　yòu bian zhào　mán yuàn jìng zi zāng　qì de hú zi qiào

亲子提示

家长可以在孩子洗脸的时候教他们念这首儿歌，培养他们自觉洗脸的好习惯。诵读时，家长还可以问问孩子：像小脏猫这样好不好？

·要给鸡蛋搬搬家·

yào gěi jī dàn bān bān jiā

小娃娃，缠妈妈，要给鸡蛋搬搬家。
xiǎo wá wa　chán mā ma　yào gěi jī dàn bān bān jiā

不放冰箱放烤箱，他说能孵鸡娃娃。
bú fàng bīng xiāng fàng kǎo xiāng　tā shuō néng fū jī wá wa

亲子提示

家长在教孩子念这首儿歌时，可以适当地为他们讲解鸡蛋在什么情况下才能孵出小鸡，丰富孩子的知识。

不让妈妈倒
bú ràng mā ma dào

xǐ wán jiǎo bǎ xié zhǎo xiǎo gǒu diāo zhe xié zi pǎo
洗完脚，把鞋找，小狗叼着鞋子跑。

xiǎo gǒu xiǎo gǒu kuài huí lai bǎ xié gěi wǒ nǐ bié nào
小狗小狗快回来，把鞋给我你别闹。

wǒ yào qù dào xǐ jiǎo shuǐ bù néng zǒng ràng mā ma dào
我要去倒洗脚水，不能总让妈妈倒。

亲子提示

这是一首培养孩子好品质的儿歌，在教孩子念的同时，还可以问问他们：你们还能为爸爸妈妈做哪些事情呢？

娃娃的鞋子
wá wa de xié zi

bù xǐ jiǎo bù xǐ wà
不洗脚，不洗袜，

tuō le zāng xié rēng chuáng xià
脱了脏鞋扔床下。

xiǎo gǒu yào bǎ xié diāo zǒu
小狗要把鞋叼走，

tā xián xié zi chòu wèi dà
它嫌鞋子臭味大。

亲子提示

家长在教孩子念这首儿歌时，可以问问他们：你喜欢脏孩子吗？怎么做才能让大家喜欢你呢？教育孩子从小就要养成讲卫生的好习惯。

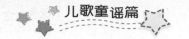

下大雨

xià dà yǔ

xià dà yǔ　guā dà fēng　fáng qián yǔ shuǐ wǎng xià chōng
下大雨，刮大风，房前雨水往下冲。

wǒ jiā xiàng shì shuǐ lián dòng　mā ma jiào wǒ sūn wù kōng
我家像是水帘洞，妈妈叫我孙悟空。

亲子提示

家长可以选择在雨天教孩子念这首儿歌，加强他们对雨的直观认识。同时还可以为孩子讲述《西游记》的相关故事，增加他们学习的兴趣。

乖宝宝

guāi bǎo bao

xiǎo bǎo bao　zuǐ ba qiǎo
小宝宝，嘴巴巧，

jiàn dào dà ren shuō nín hǎo
见到大人说您好。

kè rén lái le xiān wèn hǎo
客人来了先问好，

dà jiā dōu kuā guāi bǎo bao
大家都夸乖宝宝。

**亲子提示**

在教授这首儿歌时，家长还可以教孩子一些其他的礼貌用语，教导他们从小就要做个讲文明、懂礼貌的好孩子。

小牙刷 ·

xiǎo yá shuā

xiǎo yá shuā niē de láo zǎo wǎn shuā yá hěn zhòng yào
小牙刷，捏得牢，早晚刷牙很重要。

shuā lǐ miàn shuā wài miàn shàng xià zuǒ yòu quán shuā dào
刷里面，刷外面，上下左右全刷到。

tiān tiān shuā yá chǐ hǎo yá gāo lè de tǔ pào pao
天天刷，牙齿好，牙膏乐得吐泡泡。

亲子提示

这首儿歌不仅告诉了孩子刷牙的好处，还教给孩子正确的刷牙方法。家长可以通过教孩子诵读这首儿歌，提醒他们注意保护牙齿，养成刷牙的好习惯。

· 小朋友 ·

xiǎo péng yǒu

xiǎo péng yǒu shēn chū shǒu yī èr sān pā pā pā
小朋友，伸出手，一二三，啪啪啪！

xiǎo péng yǒu tái qǐ jiǎo
小朋友，抬起脚，

yī èr sān tà tà tà
一二三，踏踏踏！

家长可以一边教孩子念这首儿歌，一边做出相应的拍手或跺脚的动作，引导孩子学会这两个动作，锻炼他们的身体协调性。

人有两件宝
rén yǒu liǎng jiàn bǎo

rén yǒu liǎng jiàn bǎo　shuāngshǒu hé dà nǎo
人有两件宝，双手和大脑。

shuāngshǒu néng láo dòng　dà nǎo néng sī kǎo
双手能劳动，大脑能思考。

亲子提示

这首儿歌用形象的比喻说明了双手和大脑对人的重要性。家长在教孩子诵读时，可以引导孩子想想：双手和大脑都能帮我们做哪些事情呢？

走回家
zǒu huí jiā

pāi pāi wǒ de shǒu　pī pā　tà tà wǒ de jiǎo　tī tà
拍拍我的手，噼啪！踏踏我的脚，踢踏！

bēi qǐ wǒ de xiǎo shū bāo　bèng bèng tiào tiào zǒu huí jiā
背起我的小书包，蹦蹦跳跳走回家。

亲子提示

家长可以通过教孩子诵读这首儿歌，培养孩子的独立意识，告诉他们应该勇敢一些，做自己力所能及的事情。

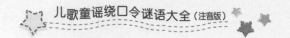

堆雪人
duī xuě rén

xià xuě la　xià xuě la　xiǎo péng yǒu men xiào hā hā
下雪啦，下雪啦，小朋友们笑哈哈。

chū qu duī gè dà xuě rén　bái bái pàng pàng rén rén kuā
出去堆个大雪人，白白胖胖人人夸！

亲子提示

家长可以选择在下雪的时候，一边和孩子堆雪人，一边教他们诵读这首儿歌，使孩子在玩乐中学到知识，增加学习的兴趣。

新年来到
xīn nián lái dào

táng guā jì zào　xīn nián lái dào　gū niang yào huā　xiǎo zi yào pào
糖瓜祭灶，新年来到。姑娘要花，小子要炮。

lǎo tóur　yào dǐng xīn zhān mào　lǎo tài tai yào jiàn dà mián ǎo
老头儿要顶新毡帽，老太太要件大棉袄。

亲子提示

这是一首流传很广的儿歌，在诵读的时候，家长可以引导孩子：不同人的新年愿望有什么不同？锻炼孩子的分析能力。

老虎鞋

lǎo hǔ xié bǎi chuāng qián　lǎo shǔ zuān jìn xié lǐ bian
老虎鞋，摆窗前，老鼠钻进鞋里边。

xiǎng xué lǎo hǔ dà shēng jiào　yòu pà wū li māo tīng jiàn
想学老虎大声叫，又怕屋里猫听见！

亲子提示

家长在教孩子读这首儿歌时，可以问问他们：小老鼠为什么不敢大声叫啊？进而用故事的形式告诉他们猫和老鼠之间的关系，提高他们学习的兴趣。

小螃蟹

xiǎo páng xiè　zhēn jiāo ào　héng zhe shēn zi dào chù pǎo
小螃蟹，真骄傲，横着身子到处跑，

xià pǎo yú　zhuàng dǎo xiā　yì diǎn yě bù dǒng lǐ mào
吓跑鱼，撞倒虾，一点也不懂礼貌。

亲子提示

家长在教孩子学这首儿歌时，可以问问孩子：小螃蟹那样做对吗？然后告诉孩子：一定要懂礼貌，做个好娃娃。

小雪人
xiǎo xuě rén

xiǎo xuě rén　bái yòu pàng　dà yǎn jing　hóng bí tóu
小雪人，白又胖，大眼睛，红鼻头。

tóu shang dài zhe wāi wāi mào　huā huā wéi jīn bó shang tào
头上戴着歪歪帽，花花围巾脖上套。

亲子提示

家长在教孩子念这首儿歌时，可以问问孩子：你还可以给小雪人加上哪些装饰，使小雪人变得更漂亮？培养他们的动手能力和审美情趣。

冬爷爷
dōng yé ye

dōng yé ye　pà zhǎng pàng　bù chī cài yě bù chī liáng
冬爷爷，怕长胖，不吃菜也不吃粮。

chī xuě gāo　chī bīng bàng　hū chū qì lai bīng bīng liáng
吃雪糕，吃冰棒，呼出气来冰冰凉。

亲子提示

在教这首儿歌时，家长可以结合儿歌内容向孩子提问：为什么冬爷爷不吃菜也不吃粮？培养孩子的分析能力。

·雨姑姑·

yǔ gū gu　　xué zhī bù　　bù zhī héng　guāng zhī shù
雨 姑 姑，学 织 布，不 织 横，光 织 竖。

yòng de shā xiàn shǔ bu qīng　méi yǒu zhī chū yí cùn bù
用 的 纱 线 数 不 清，没 有 织 出 一 寸 布。

亲子提示

诵读这首儿歌时，爸爸妈妈可以让孩子
想一想：雨姑姑为什么织不出布？使他
们认识雨的特点。

·小露珠·

xiǎo lù zhū　qǐ de zǎo　lái gěi xiǎo cǎo xǐ gè zǎo
小 露 珠，起 得 早，来 给 小 草 洗 个 澡。

tài yáng gōng gong máng pāi zhào
太 阳 公 公 忙 拍 照，

yí　xiǎo lù zhū　nǎr　　qù liǎo
咦，小 露 珠，哪 儿 去 了？

tā zài yún zhōng mī mī xiào
她 在 云 中 眯 眯 笑。

亲子提示

爸爸妈妈在教孩子诵读的同时，可以告诉他们有
关露珠的知识。也可以带孩子到户外，看看露珠
是什么样的，拓宽他们的认知领域。

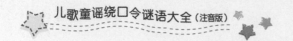

星星和月亮

yuè ér liàng shí xīng ér xī hǎo duō xīng xing qù xiū xi
月儿亮时星儿稀，好多星星去休息。

yuè ér bù liàng xīng ér mì dài tì yuè liang zhào dà dì
月儿不亮星儿密，代替月亮照大地。

亲子提示

这首儿歌用简练的语言说明了星星和月亮出现的规律。家长在教孩子诵读时，可以简单地给他们讲解一下星月交替的原理。

雨来了

yǔ lái le kuài huí jiā
雨来了，快回家。

xiǎo wō niú shuō bú pà wǒ bǎ fáng zi bēi lái la
小蜗牛，说不怕，我把房子背来啦！

xiǎo mó gu yě bú pà yǐ jīng bèi hǎo sǎn yì bǎ
小蘑菇，也不怕，已经备好伞一把。

亲子提示

这首儿歌用形象的比拟说明了蜗牛和蘑菇的外形特点。家长在教诵这首儿歌时，可以适当提示孩子：你还知道哪些小动物不怕雨吗？

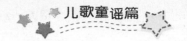

夏天的小熊

xià tiān de xiǎo xióng

大冬瓜，摸着凉，小熊把它抱上床。
dà dōng guā mō zhe liáng xiǎo xióng bǎ tā bào shàng chuáng

天热搂着大冬瓜，小熊呼呼睡得香。
tiān rè lǒu zhe dà dōng guā xiǎo xióng hū hū shuì de xiāng

亲子提示

家长在教这首儿歌时，可以结合一些相关图片，也可以让孩子亲自看看、摸摸冬瓜，达到寓教于乐的目的。

乘凉

chéng liáng

一片树叶荫一点，一团树叶荫一片。
yí piàn shù yè yìn yì diǎn yì tuán shù yè yìn yí piàn

我们藏在大树下，
wǒ men cáng zài dà shù xià

太阳公公找不见。
tài yáng gōng gong zhǎo bu jiàn

亲子提示

家长在教孩子诵读这首儿歌时，可以亲自带他们到户外，看看树木，培养孩子热爱大自然的感情。

吃饭喽

chī fàn lou

chī fàn lou　　kuài zuò hǎo　　duān qǐ xiǎo wǎn ná hǎo sháo
吃饭喽，快坐好，端起小碗拿好勺。

màn màn chī　　xì xì jiáo　　ā wū ā wū quán chī diào
慢慢吃，细细嚼，啊呜啊呜全吃掉。

亲子提示

家长可以选择在饭前或饭后教孩子诵读
这首儿歌，帮助他们改掉边吃边玩的坏
习惯，使他们养成良好的吃饭习惯。

勤洗澡

qín xǐ zǎo

qīng qīng shuǐ　　huā lā lā　　féi zào pào　　bái huā huā
清清水，哗啦啦，肥皂泡，白花花。

xiǎo máo jīn　　cā a cā　　qín xǐ zǎo　　hǎo wá wa
小毛巾，擦啊擦，勤洗澡，好娃娃。

家长可以选择在为孩子洗澡的时
候教他们诵读这首儿歌，不但可以
增进与孩子的关系，还有助于他们
养成勤洗澡的好习惯。

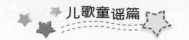

·头字歌·
tóu zì gē

tiān shang rì tou　dì xià shí tou　zuǐ li shé tou　shǒu shang zhǐ tou

天上日头，地下石头，嘴里舌头，手上指头，

zhuō shang bǐ tóu　chuáng shang zhěn tou　xǐ zài méi tóu　lè shàng xīn tóu

桌上笔头，床上枕头，喜在眉头，乐上心头。

亲子提示

这首儿歌用"头"字把许多不相关的事物联系在一起。诵读时，家长可以问问孩子：你还能想起其他带有"头"字的事物吗？

·圆·
yuán

píng guǒ yuán yuán xiāng yòu tián　chē lún yuán yuán gǔn xiàng qián

苹果圆圆香又甜，车轮圆圆滚向前，

pí qiú yuán yuán huì bèng tiào　tài yáng yuán yuán guà lán tiān

皮球圆圆会蹦跳，太阳圆圆挂蓝天。

亲子提示

这首儿歌是教授孩子认识圆形。诵读时，家长可以引导孩子接着往下编。如"镜子圆圆照我脸"，培养孩子的语言表达能力和想象力。

·小红孩儿·
xiǎo hóng háir

xiǎo hóng háir　　dài hóng mào　sì gè hào zi tái hóng jiào
小红孩儿，戴红帽，四个耗子抬红轿。

māo dǎ dēng　gǒu hè dào　yí hè hè dào chéng huáng miào
猫打灯，狗喝道，一喝喝到城隍庙，

bǎ chéng huáng lǎo ye xià yí tiào
把城隍老爷吓一跳！

亲子提示

家长在教授这首儿歌时，可以采用讲故事的形式将儿歌中的情景讲给孩子听，增加他们学习儿歌的兴趣。

·小白兔·
xiǎo bái tù

xiǎo bái tù　bái yòu bái　liǎng zhī ěr duo shù qi lai
小白兔，白又白，两只耳朵竖起来。

ài chī luó bo ài chī cài
爱吃萝卜爱吃菜，

bèng bèng tiào tiào zhēn kě ài
蹦蹦跳跳真可爱。

亲子提示

在教这首儿歌时，家长可以采用提问的方式：你知道小兔子有什么特点吗？

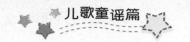

·长颈鹿·

cháng jǐng lù

cháng jǐng lù　cháng jǐng lù　bó zi hǎo xiàng yì kē shù
长颈鹿，长颈鹿，脖子好像一棵树。

tā chī shù yè xiǎo niǎo jiào　yǒu kē xiǎo shù chī dà shù
它吃树叶小鸟叫：有棵小树吃大树。

亲子提示

家长可以结合长颈鹿的相关图片教孩子诵读这首儿歌，使他们对长颈鹿有一个更直观的认识。

·淘气鬼·

táo qì guǐ

xiǎo bái tù　táo qì guǐ　xián zhe méi shì liě liě zuǐ
小白兔，淘气鬼，闲着没事咧咧嘴。

zuǒ yì liě　yòu yì liě
左一咧，右一咧，

yì liě liě chéng sān bàn zuǐ
一咧咧成三瓣嘴。

亲子提示

在这首儿歌里，小白兔就像个淘气的孩子，把嘴巴都咧成了三瓣。诵读时，家长可以通过小白兔的故事引导孩子改正生活中的一些小毛病。

老鼠上学

lǎo shǔ shàng xué

lǎo shǔ shàng xué zhēn hǎo xiào　yào yòng qiān bǐ tā bù xiāo
老鼠上学真好笑，要用铅笔他不削，

kā chā kā chā yòng yá yǎo　dà jiā jiào tā juǎn bǐ dāo
咔嚓咔嚓用牙咬，大家叫他卷笔刀。

亲子提示

教孩子诵读这首儿歌时，家长可以问问他们：你知道老鼠为什么喜欢咬铅笔吗？进而为他们讲解老鼠的生活习惯、特点等相关知识。

虫儿歌

chóng ér gē

shén me chóng ér wēng wēng wēng　mì fēng fēi lái wēng wēng wēng
什么虫儿嗡嗡嗡？蜜蜂飞来嗡嗡嗡。

shén me chóng ér ài tiào wǔ
什么虫儿爱跳舞？

huā huā hú dié ài tiào wǔ
花花蝴蝶爱跳舞。

亲子提示

在教授这首儿歌时，家长可以采用一问一答的形式，加强孩子的记忆。爸爸妈妈还可以带孩子到户外，认识一下真正的蜜蜂和蝴蝶。

鹅大哥

é dà gē

鹅大哥，鹅大哥，白衣白裙白围脖，

摇摇摆摆上山坡。

我要问问你：呜哦，呜哦，唱的什么歌？

亲子提示

家长可以一边教孩子诵读这首儿歌，一边模仿鹅的
动作和声音。这样，不仅可以加深孩子对鹅的认识，
还有助于培养孩子的表演能力。

高高山上一头牛

高高山上一头牛，两个犄角一个头。

四个蹄子分八瓣，尾巴长在身后头。

亲子提示

这是一首充满童趣的儿歌。家长在教孩子
诵读时，可以采用问答的形式，如，牛有几个
犄角几个头？使孩子对牛的身体结构有更
为直观的认识。

瓜儿谣
guā ér yáo

huáng guā duǎn　sī guā cháng　xī guā yuán　dōng guā pàng
黄瓜短，丝瓜长，西瓜圆，冬瓜胖。

yì qún guā wá wa　gè yǒu gè de yàng
一群瓜娃娃，各有各的样。

亲子提示

家长在教授这首儿歌时，同样可以采用一问一答的形式，使孩子们对相关内容更为熟悉。同时，还可以找出更多的瓜类图片，让孩子认知。

萝卜白菜
luó bo bái cài

hóng luó bo　dà bái cài　hóng de hóng lái bái de bái
红萝卜，大白菜，红的红来白的白。

chī luó bo　chī bái cài　yuán yuán de liǎn zhēn kě ài
吃萝卜，吃白菜，圆圆的脸真可爱。

亲子提示

诵读这首儿歌时，爸爸妈妈可以让孩子看看红萝卜、大白菜，然后让他们描绘一下这两种蔬菜的特点。

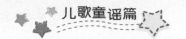

·葡萄·

<small>pú tao</small>

绿葡萄，紫葡萄，天生喜欢来爬高。
<small>lǜ pú tao， zǐ pú tao， tiān shēng xǐ huan lái pá gāo</small>

爬上架子吹泡泡，嘟噜嘟噜像玛瑙。
<small>pá shàng jià zi chuī pào pao， dū lū dū lū xiàng mǎ nǎo</small>

亲子提示

这是一首韵味十足的认知儿歌。家长在与孩子一唱一和之余，还可以引导孩子描绘一下葡萄的外形、味道等。

秋姑娘

<small>qiū gū niang</small>

秋姑娘，秋姑娘，穿着一身花衣裳。
<small>qiū gū niang， qiū gū niang， chuān zhe yì shēn huā yī shang</small>

谷穗金，玉米黄，
<small>gǔ suì jīn， yù mǐ huáng</small>

红薯拖着绿秧秧。
<small>hóng shǔ tuō zhe lǜ yāng yāng</small>

 **亲子提示**

家长可以选择一个晴朗的秋日，带孩子去农田里看一看，再教他们诵读这首儿歌，让他们对秋天有更加真切的认识。

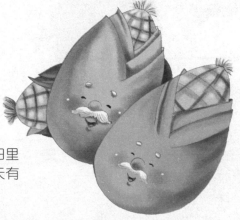

手指树
shǒu zhǐ shù

xiǎo ròu shān shang wǔ kē shù
小肉山上五棵树，

mā ma mā ma lái bá shù
妈妈妈妈来拔树。

bá bá mǔ zhǐ shù　lā lā shí zhǐ shù
拔拔拇指树，拉拉食指树，

náo náo zhōng zhǐ shù　niē niē wú míng shù
挠挠中指树，捏捏无名树。

hái yǒu yì kē xiǎo zhǐ shù
还有一棵小指树，

yào mā ma lái róu xiǎo dù dù
要妈妈来揉小肚肚。

亲子提示

家长一边教授这首儿歌，一边让孩子伸出手，挨个拔、拉、挠、捏、揉他们的五指，引导孩子观察自己的手，训练他们的认知与感知能力。

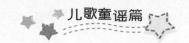

·水果歌·
shuǐ guǒ gē

píng guǒ ài liǎn hóng　xiāng jiāo ài wān yāo
苹果爱脸红，香蕉爱弯腰。

shí liú ài liě zǔ　táo zi ài zhǎng máo
石榴爱咧嘴，桃子爱长毛。

xī guā ài shuì jiào　qǐ lai yào rén bào
西瓜爱睡觉，起来要人抱。

亲子提示

家长在教孩子诵读这首儿歌时，还可以引导孩子续编儿歌，如"葡萄穿绿衣，橙子披黄袍"，锻炼孩子的想象力和语言表达能力。

·小金鱼·
xiǎo jīn yú

xiǎo jīn yú　zhēn měi lì　dà dà de yǎn jing huā wài yī
小金鱼，真美丽，大大的眼睛花外衣。

yáo yáo wěi ba zhāng zhāng zuǐ　yóu lái yóu qù hǎo huān xǐ
摇摇尾巴张张嘴，游来游去好欢喜。

亲子提示

家长可以一边教孩子诵读儿歌，一边给他们讲解金鱼的特点。也可以带他们到市场上去观察金鱼，培养他们观察事物的能力和兴趣。

·小辣椒·
xiǎo là jiāo

xiǎo là jiāo　zhēn ài měi　chuān le lǜ yī chuān hóng yī
小辣椒，真爱美，穿了绿衣穿红衣。

yǒu rén pà tā yuǎn yuǎn duǒ
有人怕它远远躲，

yǒu rén ài tā xiào xī xī
有人爱它笑嘻嘻。

亲子提示

家长在教孩子诵读这首儿歌时，可以先给他们讲一些关于辣椒的知识。然后再问一问孩子：为什么辣椒有的穿绿衣，有的穿红衣？又为什么有人见了它远远躲，有人却又笑嘻嘻？

·小小的船·
xiǎo xiǎo de chuán

弯弯的月亮小小的船。
wān wān de yuè liang xiǎo xiǎo de chuán

小小的船儿，两头尖。
xiǎo xiǎo de chuán ér liǎng tóu jiān

我在小小的船里坐，
wǒ zài xiǎo xiǎo de chuán li zuò

只看见，
zhǐ kàn jiàn

闪闪的星星蓝蓝的天。
shǎn shǎn de xīng xing lán lán de tiān

亲子提示

家长可以选择在户外一边看月亮，一边教孩子诵读这首儿歌，同时为他们讲解有关月亮变化的一些知识。

·小小猪·
xiǎo xiǎo zhū

小小猪，胖乎乎，
xiǎo xiǎo zhū pàng hū hū

脸儿圆，嘴儿嘟。
liǎn ér yuán zuǐ ér dū

小小猪，胖乎乎，
xiǎo xiǎo zhū pàng hū hū

耳朵大，腿儿粗。
ěr duo dà tuǐ ér cū

亲子提示

在教孩子读这首儿歌时，家长可以将小猪的图片指给孩子看，儿歌中提到哪一句，家长就指向相应的部位，培养孩子观察事物的能力。

·小鸭子·

xiǎo yā zi

xiǎo yā zi yì shēn huáng biǎn biǎn zuǐ ba hóng jiǎo zhǎng
小鸭子，一身黄，扁扁嘴巴红脚掌。

gā gā gā gāo shēng chàng yáo yáo bǎi bǎi xià chí táng
嘎嘎嘎，高声唱，摇摇摆摆下池塘。

亲子提示

家长可以一边教孩子诵读这首儿歌，一边模仿小鸭子的叫声和动作。既可以培养孩子的认知能力，还能增加诵读时的情趣。

·燕子·

yàn zi

yī fu xiàng duàn zi
衣服像缎子，

wěi ba xiàng jiǎn zi
尾巴像剪子，

xián ní xiū fáng zi zhuō chóng wèi hái zi
衔泥修房子，捉虫喂孩子。

亲子提示

这是一首典型的认知儿歌，为孩子描绘了燕子的外形和习性。如果有机会，家长可以带孩子观察一下燕子，培养他们的认知能力。

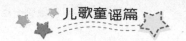

·雨娃娃·
yǔ wá wa

hōng lōng lōng　dǎ léi la　huā lā lā　xià yǔ la
轰隆隆，打雷啦，哗啦啦，下雨啦。

xiǎo huā　xiǎo cǎo hé xiǎo shù　pāi shǒu huān yíng yǔ wá wa
小花、小草和小树，拍手欢迎雨娃娃。

亲子提示

教诵儿歌时，家长可以结合相关图片，告诉孩子一些关于雷电的知识。也可以一边教孩子诵读，一边模仿打雷、下雨的声音，增加他们的直观认识。

·大小多少·
dà xiǎo duō shǎo

yí gè dù　yí gè xiǎo　yí gè píng guǒ yì kē zǎo
一个大，一个小，一个苹果一颗枣；

yì biān duō　yì biān shǎo　yì qún dà yàn yì zhī niǎo
一边多，一边少，一群大雁一只鸟。

shǔ yì shǔ　qiáo yì qiáo　dà xiǎo duō shǎo yào jì láo
数一数，瞧一瞧，大小多少要记牢。

家长在教孩子学这首儿歌时，还可以结合身边的事物加以引申，初步培养孩子的观察比较能力。

37

fēng

风

chūn tiān li　dōng fēng duō　chuī lái yàn zi zuò xīn wō
春天里，东风多，吹来燕子做新窝。

xià tiān li　nán fēng duō　chuī de tài yáng xiàng pén huǒ
夏天里，南风多，吹得太阳像盆火。

qiū tiān li　xī fēng duō　chuī shú zhuāng jia chuī hóng guǒ
秋天里，西风多，吹熟庄稼吹红果。

dōng tiān li　běi fēng duō　chuī de xuě huā fēn fēn luò
冬天里，北风多，吹得雪花纷纷落。

亲子提示

诵读儿歌时，家长可以让孩子描绘一下儿歌中或日常生活中见到的春夏秋冬的景象，锻炼孩子的语言表达能力和观察能力。

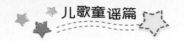
七个好兄弟

qī gè hǎo xiōng dì

duō lái mī fā suō lā xī
哆来咪发梭拉西,

wǒ men qī gè hǎo xiōng dì
我们七个好兄弟。

yǒu de sǎng mén cū   yǒu de sǎng mén xì
有的嗓门粗,有的嗓门细。

yǒu de shēng yīn gāo   yǒu de shēng yīn dī
有的声音高,有的声音低。

tiān tiān péi zhe xiǎo péng yǒu
天天陪着小朋友,

chàng chàng tiào tiào zuò yóu xì
唱唱跳跳做游戏。

亲子提示

这是一首介绍音乐知识的儿歌。家长教孩子诵读时,可以拿着相应的乐器演奏不同的音符,加深孩子对这些音符的认识。

shǔ niǎo dàn
数鸟蛋

niǎo mā ma　zhǎo wa zhǎo　wō li dàn　zǎ biàn shǎo
鸟妈妈，找哇找，窝里蛋，咋变少？

jīn tiān shǎo　míng tiān shǎo　zuì hòu yí gè yě méi liǎo
今天少，明天少，最后一个也没了，

zhǐ shèng yì　wō niǎo bǎo bao
只剩一窝鸟宝宝。

亲子提示

教诵儿歌时，家长可以问问孩子：鸟蛋为什么会变少？它们去哪儿了？然后，家长告诉孩子：小鸟都是由鸟蛋孵化而来的。

shǔ qīng wā
数青蛙

yì zhī qīng wā yì zhāng zuǐ
一只青蛙一张嘴，

liǎng zhī yǎn jing sì tiáo tuǐ
两只眼睛四条腿。

liǎng zhī qīng wā liǎng zhāng zuǐ
两只青蛙两张嘴，

sì zhī yǎn jing bā tiáo tuǐ
四只眼睛八条腿。

pū tōng pū tōng tiào xià shuǐ
扑通扑通跳下水。

亲子提示

家长在教孩子诵读这首儿歌时，可以采用问答的形式引导孩子往下说，如：三只青蛙几张嘴？几只眼睛几条腿？锻炼孩子的计算能力。

数字歌
shù zì gē

一匹马，一人骑，两只兔子三只鸡。
yì pǐ mǎ yì rén qí liǎng zhī tù zi sān zhī jī

四只小猫喵喵叫，五条蚯蚓钻进泥。
sì zhī xiǎo māo miāo miāo jiào wǔ tiáo qiū yǐn zuān jìn ní

亲子提示

这首儿歌可以培养孩子对基础数字的认识。家长可以一边教孩子诵读，一边引导孩子继续往下编，如"六只松鼠摘松果，七只小鸟叫叽叽"。

太阳和月亮
tài yáng hé yuè liang

太阳找月亮，月亮紧紧藏。月亮找太阳，
tài yáng zhǎo yuè liang yuè liang jǐn jǐn cáng yuè liang zhǎo tài yáng

太阳下山梁。一个藏白天，一个藏晚上。
tài yáng xià shān liáng yí gè cáng bái tiān yí gè cáng wǎn shang

亲子提示

家长在教孩子诵读这首儿歌的同时，可以给他们讲解一些太阳、月亮的运行情况，丰富他们的知识，提高他们的认知兴趣。

下雨歌 · xià yǔ gē

dī dā dī dā xià yǔ la zhǒng zi lè de yào fā yá
滴答滴答下雨啦，种子乐得要发芽，

mài miáo lè de xiàng shàng bá huā ér lè de kāi le huā
麦苗乐得向上拔，花儿乐得开了花。

亲子提示

家长可以和孩子一起诵读这首儿歌，同时可以引导孩子根据平日的观察，说说下雨可以给哪些事物带来快乐。

小蜻蜓 · xiǎo qīng tíng

xiǎo qīng tíng shā chì bang fēi lái fēi qù zhuō chóng máng
小蜻蜓，纱翅膀，飞来飞去捉虫忙。

dī fēi yǔ gāo fēi qíng yù bào qì xiàng zuì zài háng
低飞雨，高飞晴，预报气象最在行。

亲子提示

这是一首典型的认知儿歌，家长教孩子诵读时，可以结合儿歌的内容，启发孩子多观察周围的事物，培养孩子思考问题的习惯。

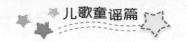

·小种子·
xiǎo zhǒng zi

一粒小种子，睡在泥土里，
yí lì xiǎo zhǒng zi　shuì zài ní tǔ li

春风吹吹它，春雨抱抱它，
chūn fēng chuī chuī tā　chūn yǔ bào bào tā

太阳公公来叫它：该醒啦，该醒啦，
tài yáng gōng gong lái jiào tā　gāi xǐng la　gāi xǐng la

小种子，伸伸腰，长成一棵绿苗苗！
xiǎo zhǒng zi　shēn shēn yāo　zhǎng chéng yì kē lǜ miáo miáo

亲子提示

家长在教授这首儿歌时，可以结合游戏一起进行，孩子扮小种子，家长
扮春风、春雨和太阳公公，既可以提高孩子的兴趣，还可以增进亲子交流。

·吹泡泡·
chuī pào pao

xiǎo pào pao mǎn tiān piāo hǎo xiàng chuàn chuàn xiǎo pú tao
小泡泡，满天飘，好像串串小葡萄。

shǔ yì shǔ qiáo yì qiáo wǔ yán liù sè zhēn rè nao
数一数，瞧一瞧，五颜六色真热闹。

亲子提示

家长可以选择在带孩子外出游玩时教授这首儿歌。一边吹泡泡一边读儿歌，不仅可以使孩子玩得更开心，还有助于他们记忆、背诵这首儿歌。

·粉刷匠·
fěn shuā jiàng

wǒ shì yí gè fěn shuā jiàng fěn shuā běn lǐng qiáng
我是一个粉刷匠，粉刷本领强。

wǒ yào bǎ nà xīn fáng zi shuā de hěn piào liang
我要把那新房子刷得很漂亮。

shuā le fáng dǐng yòu shuā qiáng shuā zi fēi wǔ máng
刷了房顶又刷墙，刷子飞舞忙。

āi yā wǒ de xiǎo bí zi biàn ya biàn le yàng
哎呀，我的小鼻子，变呀变了样！

家长在教授这首儿歌时可以有意识地培养孩子热爱劳动的品质，帮助他们体会劳动的辛苦与乐趣。

桃花桃花几时开

táo huā táo huā jǐ shí kāi　　yī yuè kāi
桃花桃花几时开？一月开。

yī yuè bù kāi jǐ shí kāi
一月不开几时开？

èr yuè kāi　　èr yuè bù kāi jǐ shí kāi
二月开。二月不开几时开？

sān yuè táo huā duǒ duǒ kāi
三月桃花朵朵开。

亲子提示

家长在教孩子诵读这首儿歌时，可以采用问答的形式，训练孩子的反应能力，使孩子在玩乐中学到知识。

贴鼻子
tiē bí zi

méng shàng yǎn　　lái wán shuǎ
蒙上眼，来玩耍，

shǒu ná bí zi xiàng qián kuà
手拿鼻子向前跨，

āi yā yā　　āi yā yā
哎呀呀，哎呀呀，

méi zhǔn tiē dào zuǐ ba xià
没准贴到嘴巴下！

亲子提示

这是一首传统的游戏儿歌。家长可以一边和孩子做游戏，一边教孩子念这首儿歌，达到娱乐和沟通相结合的目的。

捉迷藏
zhuō mí cáng

xiǎo dòng wù   zhuō mí cáng   dōu xiǎng cáng gè hǎo dì fang
小动物，捉迷藏，都想藏个好地方。

huáng gǒu cáng jìn yóu cài huā   lǜ yā cáng jìn nèn dào yāng
黄狗藏进油菜花，绿鸭藏进嫩稻秧。

huǒ hú cáng jìn hóng yè lín   zhǐ yǒu hēi zhū wú zhǔ zhāng
火狐藏进红叶林，只有黑猪无主张。

yì tóu zuān jìn lí huā cóng   jié guǒ zuì xiān bèi zhǎo dào
一头钻进梨花丛，结果最先被找到。

yuán yīn dào dǐ zài nǎ lǐ   qǐng nǐ dòng nǎo xiǎng yì xiǎng
原因到底在哪里？请你动脑想一想。

亲子提示

教授这首儿歌时，家长可以根据儿歌的内容，问问孩子：油菜花、嫩稻秧分别是什么颜色的？你知道黑猪为什么一下子就被找到了吗？培养他们对色彩的分辨能力。

bù tiāo shí
·不挑食·

duān qǐ wǎn ná qǐ kuài kàn kàn jīn tiān shén me cài
端起碗，拿起筷，看看今天什么菜。

qīng zhēng yú hóng shāo ròu hái yǒu luó bo hé qīng cài
清蒸鱼，红烧肉，还有萝卜和青菜。

yíng yǎng hǎo yán sè xiān yàng yàng fàn cài wǒ dōu ài
营养好，颜色鲜，样样饭菜我都爱。

亲子提示

生活中很多孩子都挑食，家长应该向孩子说明挑食对身体造成的影响，借助这首儿歌帮孩子逐渐改掉挑食的毛病。

bié shuō wǒ xiǎo
·别说我小·

mā ma nín bié shuō wǒ xiǎo
妈妈您别说我小，

wǒ huì chuān yī hé xǐ zǎo
我会穿衣和洗澡。

bà ba nín bié shuō wǒ xiǎo
爸爸您别说我小，

wǒ huì cā zhuō bǎ dì sǎo
我会擦桌把地扫。

亲子提示

教孩子诵读这首儿歌时，家长应尽量引导孩子把他们"会做事"的自豪感表现出来，并加以鼓励，培养孩子的独立性和自理能力。

·剪指甲·
jiǎn zhǐ jia

xiǎo jiǎn dāo　　kā chā chā
小剪刀，咔嚓嚓，

bǎo bao bù pà jiǎn zhǐ jia
宝宝不怕剪指甲。

zhǐ jia cháng le cáng bìng jūn
指甲长了藏病菌，

zán men jiān jué xiāo miè tā
咱们坚决消灭它。

亲子提示

生活中有些孩子不喜欢剪指甲，家长就可以在给孩子剪指甲的时候教他们念这首儿歌，从而将剪指甲变成一件有趣的事情。

·走路挺起胸·
zǒu lù tǐng qǐ xiōng

zuò de zhèng xiàng kǒu zhōng
坐得正，像口钟。

zhàn de zhí xiàng kē sōng
站得直，像棵松。

zǒu lù shí tǐng qǐ xiōng
走路时，挺起胸。

 **亲子提示**

在教孩子诵读这首儿歌时，家长最好给孩子做一下示范，然后让孩子跟着学，并时时提醒他们注意保持正确的姿势。

悄悄话
qiāo qiāo huà

zǒu zài shù lín li　　luò yè shā shā shā
走在树林里，落叶沙沙沙，

hǎo xiàng zài duì wǒ　　jiǎng zhe qiāo qiāo huà
好像在对我，讲着悄悄话。

亲子提示

家长在教孩子学儿歌时，可以带他们到户外感受一下，听一听脚踩在树叶上发出的"沙沙"声。

节约歌
jié yuē gē

xiǎo shuǐ zhū　yì dī dī　　huì chéng jiāng hé cháng qiān lǐ
小水珠，一滴滴，汇成江河长千里。

xiǎo mǐ lì　yí lì lì　　duī chéng liáng dùn gāo qiān mǐ
小米粒，一粒粒，堆成粮囤高千米。

xiǎo péng yǒu　yào láo jì　yì dī yí lì yào ài xī
小朋友，要牢记，一滴一粒要爱惜。

**亲子提示**

家长可以借助这首儿歌对孩子进行教育，使孩子从小就养成"吃饭不剩、节约用水"等习惯，培养孩子勤俭节约的好品质。

小花猫

xiǎo huā māo

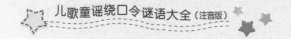

xiǎo bǎo bao shuì wǔ jiào xiǎo huā māo dǒng lǐ mào
小宝宝，睡午觉，小花猫，懂礼貌，

zǒu qǐ lù lai qīng yòu qīng bù chǎo bú jiào yě bú nào
走起路来轻又轻，不吵不叫也不闹。

亲子提示

在教孩子诵读这首儿歌时，家长还可以问
问孩子：小花猫做得好吗？然后告诉他们，
生活中应该学会尊重他人、关心他人。

睡觉觉

shuì jiào jiào

zhěn tou fàng fàng píng huā bèi gài gài hǎo wá wa hé xiǎo xióng
枕头放放平，花被盖盖好。娃娃和小熊，

bú yào duì wǒ chǎo tǎng hǎo shuì jiào jiào kàn shéi xiān shuì zháo
不要对我吵。躺好睡觉觉，看谁先睡着。

亲子提示

家长可以将这首儿歌作为临睡前的
摇篮曲轻轻念给孩子听，舒缓他们
的情绪，使他们能尽快入睡。

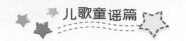

红绿灯

hóng lǜ dēng

māma zǒu wǒ yě zǒu wǒ hé māma shǒu lā shǒu
妈妈走，我也走，我和妈妈手拉手。

shǒu lā shǒu màn màn zǒu yì zǒu zǒu dào mǎ lù kǒu
手拉手，慢慢走，一走走到马路口。

kàn jiàn hóng dēng tíng yì tíng kàn jiàn lǜ dēng dà bù zǒu
看见红灯停一停，看见绿灯大步走。

亲子提示

家长可以一边教孩子诵读这首儿歌，一边给他们讲解一些关于交通安全的知识，使他们从小就养成遵守交通规则的好习惯。

宝中宝

bǎo zhōng bǎo

māma jiāo bǎobao liáng shi bǎo zhōng bǎo
妈妈教宝宝，粮食宝中宝。

ài xī bǎo zhōng bǎo shì gè hǎo bǎobao
爱惜宝中宝，是个好宝宝。

亲子提示

家长可以选择在饭前或是饭后教孩子诵读这首儿歌，同时告诉他们粮食来之不易，使他们懂得爱惜粮食。

dàng qiū qiān

荡秋千

dàng qiū qiān　dàng qiū qiān
荡秋千，荡秋千，
yí dàng dàng guò liǔ shù shāo
一荡荡过柳树梢。
zhāi duǒ bái yún huái zhōng bào
摘朵白云怀中抱，
sòng gěi yé ye bǎ bèi kào
送给爷爷把背靠。

亲子提示

家长在教孩子这首儿歌时，可以问问他们：当你为别人做一些事情时，心里会有怎样的感觉？让孩子懂得付出也是一种快乐。

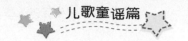

冬天到 dōng tiān dào

běi fēng chuī　dōng tiān dào
北风吹，冬天到，

duǒ duǒ xuě huā xiàng é máo
朵朵雪花像鹅毛。

sōng shù　bǎi shù lǜ yóu yóu
松树、柏树绿油油，

xuě xià mài miáo mī mī xiào
雪下麦苗眯眯笑。

亲子提示

在诵读儿歌的过程中，家长可以引导孩子认识冬天里不同的动植物及它们的生活习性和特征等，丰富孩子的知识。

鹅 é

bái bái é　huā huā é
白白鹅，花花鹅，

pái cháng duì　dào xiǎo hé
排长队，到小河。

yáo yáo tóu　bǎi bǎi wěi
摇摇头，摆摆尾，

pāi pāi chì bang guò xiǎo hé
拍拍翅膀过小河。

亲子提示

在教孩子念这首儿歌时，家长可以结合游戏来完成。如全家人排成一队，共同模仿鹅的动作，边做边诵读，提高孩子的学习兴趣。

fān chuán
· 帆船 ·

lán hǎi wān   piāo fān chuán   fān chuán guà zhe bái chuán fān
蓝海湾，漂帆船，帆船挂着白船帆。

fēng chuī chuán fān   fān chuán zǒu   chuán fān dài zhe chuán xiàng qián
风吹船帆帆船走，船帆带着船向前。

亲子提示

家长在教孩子诵读时，可以根据儿歌的
内容对孩子进行启发式的提问，如：你还
知道其他的船吗？它们有什么特点？
培养孩子的思考能力。

huā ér hǎo kàn wǒ bù zhāi
· 花儿好看我不摘 ·

gōng yuán li   huā ér kāi   hóng de hóng
公园里，花儿开，红的红，

bái de bái   huā ér hǎo kàn wǒ bù zhāi
白的白。花儿好看我不摘，

dà jiā kuā wǒ hǎo guāi guāi
大家夸我好乖乖。

亲子提示

家长可以选择在户外教孩子诵读这首儿歌，
使他们懂得，所有美好的事物都是属于这个世
界的，培养他们热爱大自然、爱护大自然的情操。

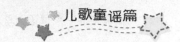

jiào
· 04 ·

yā fú shuǐ　　gā gā jiào　　jī xià dàn　　gē gē jiào
鸭浮水，嘎嘎叫；鸡下蛋，咯咯叫，

yáng chī cǎo　　miē miē jiào　　huā xǐ què　　zhā zhā jiào
羊吃草，咩咩叫；花喜鹊，喳喳叫。

亲子提示

在教授这首儿歌之余，家长还可以根据儿歌内容继续延展，如：老黄牛，哞哞叫。锻炼孩子们的模仿力和想象力。

lǜ　tóu　fa
·绿头发·

cǎo dì zhǎng chū lǜ tóu fa
草地长出绿头发，

wǒ yòng jiǎo yā shū shū tā
我用脚丫梳梳它。

xiǎo cǎo yǎng de gē gē xiào
小草痒得咯咯笑，

qīn qīn wǒ de xiǎo jiǎo yā
亲亲我的小脚丫。

亲子提示

家长可以在带孩子去野外踏青的时候诵读这首儿歌，让孩子亲身感受和大自然亲密接触带来的乐趣，培养他们热爱自然的感情。

luò yè
· 落叶 ·

xiǎo shù yè piāo ya piāo piāo zài kōng zhōng xiàng fēi niǎo
小树叶，飘呀飘，飘在空中像飞鸟。

xiǎo shù yè piāo ya piāo piāo dào dì shang shuì dà jiào
小树叶，飘呀飘，飘到地上睡大觉。

亲子提示

诵读这首儿歌时，家长可以根据相关图片提示孩子，让他们说一说和其他季节相比，秋天还有哪些特征。锻炼孩子的观察能力。

péng you
· 朋友 ·

zǒu a zǒu zhǎo péng you
走啊走，找朋友，

zhǎo dào yí gè hǎo péng you
找到一个好朋友，

jìng gè lǐ wò wò shǒu
敬个礼，握握手，

nǐ shì wǒ de hǎo péng you
你是我的好朋友。

亲子提示

家长可以通过教孩子念这首儿歌，鼓励孩子主动和小伙伴交流，培养他们与人交往的能力。

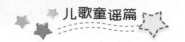
三个和尚

sān gè hé shang

yí gè hé shang tiāo shuǐ hē tiāo de kuài lái tiāo de duō
一个和尚挑水喝，挑得快来挑得多。

liǎng gè hé shang tái shuǐ hē nǐ xián chén lái tā xián duō
两个和尚抬水喝，你嫌沉来他嫌多。

sān gè hé shang méi shuǐ hē zuò zài nà lǐ zhí niàn fó
三个和尚没水喝，坐在那里直念佛。

jiǔ tiān jiǔ yè gāng méi shuǐ děng zhe xià yǔ kǒu hǎo kě
九天九夜缸没水，等着下雨口好渴。

亲子提示

诵读这首儿歌时，家长还可以引导孩子想一想：
生活中还有没有类似"三个和尚没水喝"
的情形。借此教导孩子要学会
主动承担责任。

两只老虎

liǎng zhī lǎo hǔ

liǎng zhī lǎo hǔ　liǎng zhī lǎo hǔ
两只老虎，两只老虎，

pǎo de kuài　pǎo de kuài
跑得快，跑得快。

yì zhī méi yǒu ěr duo
一只没有耳朵，

yì zhī méi yǒu wěi ba
一只没有尾巴，

zhēn qí guài　zhēn qí guài
真奇怪，真奇怪。

家长在教孩子诵读时，可以根据儿歌提问：为什么奇怪？再引导孩子从儿歌中找到答案，锻炼孩子的逆向思维。

金钩钩

jīn gōu gōu

jīn gōu gōu　yín gōu gōu
金钩钩，银钩钩，

xiǎo zhǐ tou　gōu yì gōu
小指头，钩一钩，

wǒ men dōu shì hǎo péng you
我们都是好朋友。

家长在教这首儿歌时，可以伸出手指，和孩子共同做钩手指的游戏。同时也应当告诉孩子，钩手指代表承诺，一定要说到做到。

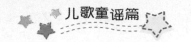

数星星
shǔ xīng xing

晶晶和清清，门前数星星。
jīng jīng hé qīng qīng mén qián shǔ xīng xing

一二三四五，数也数不清。
yī èr sān sì wǔ shǔ yě shǔ bu qīng

亲子提示

家长可以选择一个繁星满天的夜晚，带孩子到户外，边数星星边教孩子念这首儿歌。此外，还可以给他们讲解一些关于星星的天文知识。

小宝宝要睡觉
xiǎo bǎo bao yào shuì jiào

风不吹，树不摇，小鸟不飞也不叫。
fēng bù chuī shù bù yáo xiǎo niǎo bù fēi yě bú jiào

小小船儿轻轻摇，
xiǎo xiǎo chuán ér qīng qīng yáo

小宝宝呀快睡觉。
xiǎo bǎo bao ya kuài shuì jiào

亲子提示

家长可以选择在孩子临睡前教他们念这首儿歌，不仅能使孩子尽快入睡，还可以让他们学会不影响他人。

谁会 shéi huì

shéi huì fēi niǎo huì fēi　　pū pū chì bang qù yòu huí
谁会飞？鸟会飞。扑扑翅膀去又回。

shéi huì pǎo mǎ huì pǎo　　sì jiǎo lí dì shēn bù yáo
谁会跑？马会跑。四脚离地身不摇。

亲子提示

家长可以采用提问的形式，教孩子诵读这首儿歌。另外，还可以顺势接着往下提问，如"谁会游？鱼会游"，锻炼孩子的想象力。

太阳花 tài yáng huā

duǒ duǒ tài yáng huā
朵朵太阳花，

zhāng zuǐ xiào hā hā
张嘴笑哈哈。

huā ér huáng càn càn
花儿黄灿灿，

yè zi dà yòu dà
叶子大又大。

亲子提示

在教孩子学这首儿歌时，家长可以给他们看一下太阳花的图片，也可以多找一些其他花的图片，让孩子试着说出它们的特点。

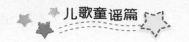

天上架起彩虹桥

tiān shang jià qǐ cǎi hóng qiáo

hōng lōng lōng dǎ léi la huā lā lā xià yǔ la
轰隆隆，打雷啦，哗啦啦，下雨啦，

tài yáng gōng gong hā hā xiào tiān shang jià qǐ cǎi hóng qiáo
太阳公公哈哈笑，天上架起彩虹桥。

亲子提示

家长在教孩子念这首儿歌时，可以适当地给他们讲解一下关于彩虹的知识，既可以引起孩子的兴趣，也能扩展他们的认知领域。

甜嘴巴

tián zuǐ ba

nǎi nai nián jì dà tóu fa bái huā huā
奶奶年纪大，头发白花花。

wǒ péi nǎi nai shuō shuō huà nǎi nai lè de xiào hā hā
我陪奶奶说说话，奶奶乐得笑哈哈。

亲子提示

家长可以选择在全家人欢聚一堂的时候，教孩子念这首儿歌。不但有助于培养和睦的家庭气氛，更有助于培养孩子尊敬老人、孝敬老人的好品质。

小老鼠，上灯台

xiǎo lǎo shǔ shàng dēng tái tōu yóu chī xià bu lái
小老鼠，上灯台，偷油吃，下不来。

miāo miāo miāo māo lái la jī li gū lū gǔn xia lai
喵喵喵，猫来啦，叽里咕噜滚下来。

亲子提示

这是一首传统的经典儿歌，家长可以一边做动作，一边教孩子诵读，帮助他们在玩的过程中提高语言和肢体表达能力。

小燕子

xiǎo yàn zi zhēn líng qiǎo shēn shang dài bǎ xiǎo jiǎn dāo
小燕子，真灵巧，身上带把小剪刀。

shàng tiān jiǎn yún duǒ xià hé jiǎn shuǐ bō
上天剪云朵，下河剪水波。

jiǎn gēn shù gēn dàng zhěn tou jiǎn kuài ní ba dā wō wō
剪根树根当枕头，剪块泥巴搭窝窝。

亲子提示

家长在教这首儿歌时，可以结合图片帮助孩子了解更多关于燕子的知识。还可以让孩子动手画一画，加深他们对燕子的认识。

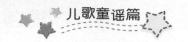

小蜜蜂

xiǎo mì fēng wēng wēng wēng fēi dào xī fēi dào dōng
小蜜蜂,嗡嗡嗡,飞到西,飞到东,

fēi dào wǒ men huā yuán li
飞到我们花园里,

cǎi huā niàng mì hǎo guò dōng
采花酿蜜好过冬。

家长可在春天带孩子去花园观察
一下蜜蜂飞舞和采蜜的情形,然后
教孩子诵读这首儿歌,孩子会学得
更快。

小鹿

xiǎo lù xiǎo lù
小鹿小鹿,

máo yī máo kù
毛衣毛裤,

shēn shang kāi huā
身上开花,

tóu shang zhǎng shù
头上长树。

家长可以根据图片教孩子诵读这首儿歌,同时给他们讲解一下
小鹿的其他特点,如它们的食性、生活习惯等。

·小青蛙·
xiǎo qīng wā

xiǎo qīng wā，guā guā guā，
小青蛙，呱呱呱，

tiào de gāo，jiàn shuǐ huā。
跳得高，溅水花。

chí táng lǐ miàn bǎ shuǐ huá
池塘里面把水划。

家长可以一边模仿青蛙的动作，一边教孩子诵读这首儿歌。同时，也不要忘了
告诉孩子，青蛙是人类的朋友，应当受到保护。

·一二三四五·
yī èr sān sì wǔ

yī èr sān sì wǔ，shàng shān zhǎo lǎo hǔ
一二三四五，上山找老虎。

lǎo hǔ méi zhǎo dào，zhuō dào xiǎo sōng shǔ
老虎没找到，捉到小松鼠。

sōng shǔ yǒu jǐ zhī？wǒ lái shǔ yì shǔ
松鼠有几只？我来数一数。

shǔ lái yòu shǔ qù，yī èr sān sì wǔ
数来又数去，一二三四五。

家长可以结合儿歌做一些小游戏，如和孩子捉迷藏等，使他们在玩的过程中学
会诵读，也学到了相应的数学知识。

·真不美·
zhēn bù měi

bǎo bao kū　zhāng dà zuǐ　niǔ shēn zi　dēng dēng tuǐ
宝宝哭，张大嘴，扭身子，蹬蹬腿，

liú bí tì　tǎng yǎn lèi　kū yàng zi　zhēn bù měi
流鼻涕，淌眼泪，哭样子，真不美！

亲子提示

生活中，孩子经常会为了各种事哭闹，这首儿歌可以使他们明白，爱哭闹的孩子不但看起来不美，而且不讨人喜欢。教导他们做个听话的乖宝宝。

·做早操·
zuò zǎo cāo

zǎo chen kōng qì zhēn jiào hǎo
早晨空气真叫好，

wǒ men yì qǐ zuò zǎo cāo
我们一起做早操。

shēn shēn tuǐ　wān wān yāo
伸伸腿，弯弯腰，

tiān tiān duàn liàn shēn tǐ hǎo
天天锻炼身体好。

亲子提示

家长可以和孩子一起早起锻炼身体，在锻炼的过程中教他们学习这首儿歌，达到寓教于乐、言传身教的目的。

金鼓槌

jīn gǔ chuí

jīn gǔ chuí bēng bēng qiāo jiě mèi sān gè cǎi gāo qiāo
金鼓槌，嘣嘣敲，姐妹三个踩高跷。

dà jiě cǎi de yāng gē wǔ èr jiě cǎi de bù bù gāo
大姐踩得秧歌舞，二姐踩得步步高。

zuì shǔ sān mèi cǎi de hǎo hǎo xiàng yì duǒ cǎi yún piāo
最数三妹踩得好，好像一朵彩云飘。

亲子提示

在教这首儿歌时，家长可以动员全家人一起做游戏，扮演不同的角色。既可以使孩子更愿意学，又活跃了家庭气氛。

盖花楼

gài huā lóu

gài gài gài huā lóu
盖！盖！盖花楼！

huā lóu dī pèng zháo jī
花楼低，碰着鸡。

jī xià dàn pèng zháo yàn
鸡下蛋，碰着雁。

yàn diāo mǐ
雁叼米，

pèng zháo xiǎo hái jiù shì nǐ
碰着小孩就是你。

亲子提示

这首儿歌说的是一个适合多人一起玩的游戏，家长可以鼓励孩子和小朋友共同做这个游戏，通过游戏增进他们的友谊。

老瓜瓢

lǎo guā piáo

lǎo guā piáo　lǎo guā piáo　hún shēn shàng xià zhǎng bái máo
老瓜瓢，老瓜瓢，浑身上下长白毛。

chéng zhe fēng ér　fēi shàng tiān　diào zài　dì shang shuāi bu zháo
乘着风儿飞上天，掉在地上摔不着。

亲子提示

这是一首认知儿歌。家长可以带孩子到户外，采一些结籽的蒲公英，边吹边唱，通过直观感受教孩子认识一些自然界中的植物。

鸡毛鸡毛你看家

jī máo jī máo nǐ kān jiā

jī máo　jī máo nǐ kān jiā　wǒ dào nán bian cǎi méi huā
鸡毛鸡毛你看家，我到南边采梅花。

zhèng le qián　gěi nǐ huā　nǐ huā qī gè wǒ huā sā
挣了钱，给你花，你花七个我花仨。

亲子提示

家长可以找一些鸡毛或类似鸡毛的东西，一边吹一边教孩子念这首儿歌，锻炼孩子的身体协调能力。

科尔王

kē ěr wáng

kē ěr wáng xiǎo lǎo tóur huān tiān xǐ dì bù fā chóu
科尔王，小老头儿，欢天喜地不发愁。

qǔ chū yì zhī dà yān dǒu dào shàng yì bēi pú tao jiǔ
取出一只大烟斗，倒上一杯葡萄酒。

jiào lái sān gè tí qín shǒu hā hā lè de hé bu shàng kǒu
叫来三个提琴手，哈哈，乐得合不上口！

亲子提示

这首儿歌也适合一边做游戏一边学习，不但可以增进与孩子的感情，更重要的是通过诵读，培养孩子乐观的心态。

拉箩箩，扯箩箩

lā luó luó chě luó luó

lā luó luó chě luó luó shōu le mài zi zhēng mó mó
拉箩箩，扯箩箩，收了麦子蒸馍馍。

zhēng gè hēi de fàng dào kuī li zhēng gè bái de chuāi zài huái li
蒸个黑的，放到盔里；蒸个白的，揣在怀里。

亲子提示

家长可以拉着孩子的手，教他们念这首儿歌。同时也应当适当提示，使孩子懂得粮食来之不易，应学会珍惜。

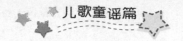

兰姥姥

lán lǎo lao shēng bìng le tǎng zài chuáng shang qǐ bu lái
兰姥姥，生病了，躺在床上起不来。

ér zǐ chéng zhōu lái xí fù duān yào lái
儿子盛粥来，媳妇端药来，

lán lǎo lao zhēn kāi xīn
兰姥姥，真开心，

dǎ qǐ jīng shen pá qi lai
打起精神爬起来。

在教授这首儿歌时，家长可以告诉孩子：每个父母都为孩子的成长付出了无数心血，每个人都应该懂得回报、孝敬长辈。

六字歌

yī èr sān sì wǔ liù
一二三，四五六，

mā ma shàng jí qù mǎi niú
妈妈上集去买牛。

yí gè tóu liǎng gè jiǎo
一个头，两个角，

sān huā liǎn sì zhī jiǎo
三花脸，四只脚。

wǔ huā dà dù pí
五花大肚皮，

liù yuè zuò huó ji
六月做活计。

这是一首认知儿歌，家长在教授孩子诵读时，可以拿出一些牛的图片，让孩子边读边指出牛身体的相应部位，同时还可以锻炼他们对基础数字的认识。

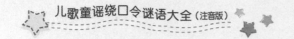

老名片 lǎo míng piàn

xiǎo hú tòngr　　sì hé yuànr　　běi jīng chéng de lǎo míng piànr
小 胡 同 儿，四 合 院 儿，北 京 城 的 老 名 片 儿。

zǒu le yì jiār　　yòu yì jiār　　gù shi jiù xiàng zhēn zhū chuànr
走 了 一 家 儿 又 一 家 儿，故 事 就 像 珍 珠 串 儿。

亲子提示

家长可以找一些相关的图片，一边看图片，一边教孩子念这首儿歌。还可以给孩子讲一些关于胡同和四合院的知识、故事。

墙头草 qiáng tóu cǎo

qiáng tóu cǎo　qiáng tóu cǎo　fēng ér yì lái liǎng biān dǎo
墙 头 草，墙 头 草，风 儿 一 来 两 边 倒。

gǒu bù chī mào bù yǎo　kū le bù néng dàng chái shāo
狗 不 吃，猫 不 咬，枯 了 不 能 当 柴 烧。

亲子提示

这首儿歌是教育孩子在生活中应当坚定自己的信念，做一个有原则、有主见的人。家长在教孩子诵读时，可以适当向孩子讲述这方面的道理。

山歌好唱口难开

^{shān gē hǎo chàng kǒu nán kāi}

山歌好唱口难开，樱桃好吃树难栽。

^{shān gē hǎo chàng kǒu nán kāi　yīng táo hǎo chī shù nán zāi}

白米好吃田难种，糍粑好吃磨难挨。

^{bái mǐ hǎo chī tián nán zhòng　cí bā hǎo chī mò nán ái}

亲子提示

在教授这首儿歌时，家长可以结合《悯农》一诗来讲解，使孩子了解幸福生活的来之不易。另外，也可以让孩子适当做一些家务。

兔儿爷

^{tù ér yé}

紫不紫，大海茄，八月供的是兔儿爷。

^{zǐ bù zǐ　dà hǎi qié　bā yuè gòng de shì tù ér yé}

自来红，自来白，月光码儿供当中。

^{zì lái hóng　zì lái bái　yuè guāng mǎ ér gòng dāng zhōng}

鸡冠花儿红里个红，

^{jī guān huā ér hóng lǐ gè hóng}

圆圆的西瓜皮儿青。

^{yuán yuán de xī guā pí ér qīng}

亲子提示

这是一首典型的老北京儿歌，讲述了老北京中秋祭月的习俗。家长在教孩子诵读时，可以借此给他们讲解一些家乡的传统习俗。

外婆桥

wài pó qiáo

yáo a yáo， yáo a yáo， yì yáo yáo dào wài pó qiáo
摇啊摇，摇啊摇，一摇摇到外婆桥，

wài pó jiào wǒ hǎo bǎo bao   táng yì bāo   guǒ yì bāo
外婆叫我好宝宝。糖一包，果一包，

hái yǒu bǐng ér hái yǒu gāo   bǎo bao chī le hā hā xiào
还有饼儿还有糕，宝宝吃了哈哈笑。

家长在教孩子诵读这首儿歌时，可以问问他们：外婆对宝宝怎么样？宝宝应该怎样对待外婆呢？培养孩子尊老、爱老的好品质。

粽子香

zòng zi xiāng

zòng zi xiāng   xiāng chú fáng   ài tiáo guà zài dà mén shang
粽子香，香厨房，艾条挂在大门上。

chū mén yí wàng mài miáo huáng
出门一望麦苗黄，

zhèr   duān yáng   nàr   yě duān yáng
这儿端阳，那儿也端阳。

在教孩子念这首儿歌时，家长可以给孩子多讲解一些关于端午节的习俗，如各地如何过端午节、端午节是怎么来的等。

一个老头七十七
yí gè lǎo tóu qī shí qī

一个老头七十七，再过四年八十一。
yí gè lǎo tóu qī shí qī zài guò sì nián bā shí yī

又会弹琵琶，又会吹长笛。
yòu huì tán pí pa yòu huì chuī cháng dí

弹起琵琶噔噔响，吹起长笛滴答滴。
tán qǐ pí pa dēng dēng xiǎng chuī qǐ cháng dí dī dā dī

亲子提示

家长在教孩子念这首儿歌时，可以借助一些工具教孩子认识大一点儿的数字，使他们知道为什么"再过四年八十一"，锻炼孩子的计算能力。

捶捶背
chuí chuí bèi

小板凳，你莫歪，
xiǎo bǎn dèng nǐ mò wāi

让我爷爷坐下来。
ràng wǒ yé ye zuò xia lai

我帮爷爷捶捶背，
wǒ bāng yé ye chuí chuí bèi

爷爷说我好乖乖。
yé ye shuō wǒ hǎo guāi guāi

亲子提示

对于这首儿歌，家长除了教授孩子诵读外，还应当做到言传身教，以培养孩子礼让、孝顺的好品质。

盖新房

gài xīn fáng

小白兔，盖新房，小伙伴们来帮忙。
xiǎo bái tù gài xīn fáng xiǎo huǒ bàn men lái bāng máng

抬的抬，扛的扛，新房盖得好漂亮。
tái de tái káng de káng xīn fáng gài de hǎo piào liang

进屋一看黑漆漆，原来忘了留个窗。
jìn wū yí kàn hēi qī qī yuán lái wàng le liú gè chuāng

亲子提示

在教授的过程中，家长可以引导孩子思考：盖房子时，小白兔和它的伙伴们犯了什么错误？怎么样才能改正这个错误？锻炼孩子的分析能力。

白头翁做巢

bái tóu wēng zuò cháo

白头翁，要做巢。
bái tóu wēng yào zuò cháo

早上做，露水大，
zǎo shang zuò lù shuǐ dà

中午做，日头晒，
zhōng wǔ zuò rì tou shài

晚上做，夜风凉，
wǎn shang zuò yè fēng liáng

等到明天再做巢。
děng dào míng tiān zài zuò cháo

亲子提示

家长在教孩子诵读这首儿歌时，可以引导孩子想一想：最后，白头翁的巢做好了吗？借此教育孩子要养成"今日事，今日毕"的好习惯。

老虎学爬树

lǎo hǔ xué pá shù

xiǎo sōng shǔ　jiāo lǎo hǔ　　xué shén me　　xué pá shù
小松鼠，教老虎。学什么？学爬树。

jì de jiāo shàng shù　wàng le jiāo xià shù
记得教上树，忘了教下树。

hài de lǎo hǔ xià bu liǎo shù　bào zhe shù gàn wā wā kū
害得老虎下不了树，抱着树干哇哇哭。

亲子提示

这是一首非常适合家长和孩子共同诵读的儿歌。在诵读时，家长可以提示孩子：小松鼠是个称职的老师吗？为什么？培养孩子的思考能力。

dà gōng jī
大公鸡

gōng jī gōng jī zhēn měi lì
公鸡公鸡真美丽，

dà hóng guān zi huā wài yī
大红冠子花外衣，

yóu liàng bó zi jīn huáng jiǎo
油亮脖子金黄脚，

yào bǐ piào liang wǒ dì yī
要比漂亮我第一。

亲子提示

家长在教孩子诵读这首儿歌时，可以采用一问一答的形式，如：什么样的脖子？什么样的外衣？使孩子在诵读的过程中加深对公鸡的认识。

不能事事学人家

bù néng shì shì xué rén jia

wū guī mā, bēi wá wa, wū guī wá, xiào hā hā
乌龟妈，背娃娃，乌龟娃，笑哈哈。

xiǎo cì wei, kàn jiàn la, yě yào mā ma bēi zhe tā
小刺猬，看见啦，也要妈妈背着他。

yí xià lǒu zhù mā ma bèi, āi yō āi yō cì ér zhā
一下搂住妈妈背，哎哟哎哟刺儿扎。

mā ma gào su xiǎo cì wei, bù néng shì shì xué rén jia
妈妈告诉小刺猬：不能事事学人家。

亲子提示

生活中，小孩子很喜欢模仿别人，因此，家长在教授这首儿歌
的同时，应当引导孩子，使他们知道什么事该学、什么
事不该学，培养孩子的分辨能力。

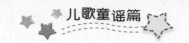
松树公公

sōng shù gōng gong

松树公公好开心，站在雪里笑吟吟。
sōng shù gōng gong hǎo kāi xīn　zhàn zài xuě li xiào yín yín

腰里系着白围裙，头上蒙块白布巾。
yāo li jì zhe bái wéi qún　tóu shang méng kuài bái bù jīn

亲子提示

家长在教孩子念这首儿歌时，可以问问他们："你知道松树公公的白围裙和白布巾是什么吗？"然后结合图片告诉他们松树的耐寒特性。

零蛋蛋

líng dàn dàn

小金鱼，爱打扮，
xiǎo jīn yú　ài dǎ ban

穿了一身花衫衫。
chuān le yì shēn huā shān shān

小金鱼，真贪玩，
xiǎo jīn yú　zhēn tān wán

东游游啊西转转。
dōng yóu yóu a xī zhuàn zhuàn

考考它，干瞪眼，
kǎo kǎo tā　gān dèng yǎn

吐出几个零蛋蛋。
tǔ chū jǐ gè líng dàn dàn

亲子提示

贪玩是孩子的天性，家长在教孩子诵读这首儿歌时，一定要抓住孩子的心理特征，使他们明白贪玩会带来什么后果，使他们懂得要认真做事。

对不起

duì bu qǐ

xiǎo māo mī　zuò yóu xì　yí tiào tiào jìn jī wō li
小猫咪，做游戏，一跳跳进鸡窝里。

gē gē gē　jī máo fēi　xià huài wō li lǎo mǔ jī
咯咯咯，鸡毛飞，吓坏窝里老母鸡。

xiǎo māo mī　máng péi lǐ　mǔ jī dà shěn duì bu qǐ
小猫咪，忙赔礼，母鸡大婶对不起。

亲子提示

生活中，很多孩子很调皮、淘气。当他们因此做错事时，应该怎么办？在教授这首儿歌时，家长可以借机告诉他们，一定要懂得为自己的过错承担责任。

小手绢

xiǎo shǒu juàn

xiǎo shǒu juàn　sì fāng fāng　tiān tiān dài zài wǒ shēn shang
小手绢，四方方，天天带在我身上。

yòu cā bí tì yòu cā hàn
又擦鼻涕又擦汗，

gān gān jìng jìng zhēn hǎo kàn
干干净净真好看。

亲子提示

在教孩子诵读这首儿歌时，家长可以问问孩子：你们喜欢脏孩子还是干净的孩子？然后告诉他们如何才能做个人人都喜欢的干净孩子。

·大骆驼·
dà luò tuo

luò tuo luò tuo zhì qì dà　fēng chuī rì shài dōu bú pà
骆驼骆驼志气大，风吹日晒都不怕。

zǒu shā mò　yùn yán bā　zài kǔ zài lèi bù jiǎng huà
走沙漠，运盐巴，再苦再累不讲话。

亲子提示

在教孩子诵读这首儿歌时，家长可以结合图片，一边教孩子诵读，一边告诉他们一些关于骆驼的相关知识，加深他们对骆驼的认识。

·姥姥生日到·
lǎo lao shēng rì dào

bā yuè shí wǔ yuè ér gāo　lǎo lao shēng rì yào lái dào
八月十五月儿高，姥姥生日要来到。

mǎi qīng sī　mǎi mì zǎo　zhēng le yí gè dà shòu táo
买青丝，买蜜枣，蒸了一个大寿桃。

jiě jie mèi mei pěng zhe tā　xī xī hā hā lǎo jiā pǎo
姐姐妹妹捧着它，嘻嘻哈哈姥家跑。

这是一首富有教育意义的儿歌。家长在教孩子诵读时，可以选一个特定的时间，如家人的生日，培养孩子心有他人、关心他人的品质。

· 小巴狗，挂铃铛 ·

xiǎo bā gǒu guà líng dang dīng dāng dīng dāng dào jí shang
小巴狗，挂铃铛，叮当叮当到集上。

ài chī táo táo yǒu máo ài chī xìng xìng yòu suān
爱吃桃，桃有毛，爱吃杏，杏又酸。

ài chī lǐ zi miàn dān dān ài chī xiǎo zǎo gā bēng tián
爱吃李子面丹丹，爱吃小枣嘎嘣甜。

亲子提示

这首儿歌向孩子介绍了许多种水果，在教他们诵读时，家长可以采用提问的方式来巩固孩子对这些水果的认识。

· 雪娃娃 ·

xià xuě la xià xuě la
下雪啦，下雪啦，

wǒ lái duī gè xuě wá wa
我来堆个雪娃娃。

xuě wá wa lái kān jiā
雪娃娃，来看家，

亲子提示

tài yáng chū lai bú jiàn la
太阳出来不见啦。

在教授孩子这首儿歌时，家长可以采用提问的形式问一问孩子：为什么太阳出来后，雪人就不见了？然后给他们讲解一些关于雪的知识。

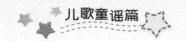

不动脑筋别发言

bú dòng nǎo jīn bié fā yán

hēi lú tuó zhe yí dàn mián　　bái lú tuó zhe yí dài yán
黑驴驮着一担棉，白驴驮着一袋盐。

tú zhōng tāng guò yì tiáo hé　　pào le mián huā jìn le yán
途中蹚过一条河，泡了棉花浸了盐。

bái lú jiǎo bù qīng yòu kuài　　hēi lú màn màn là hòu bian
白驴脚步轻又快，黑驴慢慢落后边。

wèn nǐ zhè shì wèi shén me　　bú dòng nǎo jīn bié fā yán
问你这是为什么？不动脑筋别发言。

亲子提示

家长在教孩子诵读这首儿歌时，可以做一下相应的实验，拿一些棉花和盐分别放在水里，看它们浸水后有什么变化，借此培养孩子的观察能力。

逛公园，看动物
guàng gōng yuán kàn dòng wù

一 二 三 四 五，公 园 有 老 虎。
yī èr sān sì wǔ gōng yuán yǒu lǎo hǔ

老 虎 正 睡 觉，咱 去 看 海 豹。
lǎo hǔ zhèng shuì jiào zán qù kàn hǎi bào

海 豹 水 里 游，咱 去 看 小 鸟。
hǎi bào shuǐ li yóu zán qù kàn xiǎo niǎo

小 鸟 摇 树 叶，咱 去 看 孔 雀。
xiǎo niǎo yáo shù yè zán qù kàn kǒng què

亲子提示

家长可以在带孩子去动物园游玩的时候，教他们诵读这首儿歌，加深孩子对儿歌中提到的各种动物的认识。

· 小熊过桥 ·
xiǎo xióng guò qiáo

小熊小熊来过桥，走到桥边瞧一瞧。
xiǎo xióng xiǎo xióng lái guò qiáo   zǒu dào qiáo biān qiáo yì qiáo

山羊公公走来了，山羊公公您先行，
shān yáng gōng gong zǒu lái le   shān yáng gōng gong nín xiān xíng

小熊真是有礼貌。
xiǎo xióng zhēn shì yǒu lǐ mào

亲子提示

家长在教授孩子这首儿歌时，还可以适时地引导他们想一想：
生活中，还有哪些好品质是我们应该学习的呢？

·大象鼻子长又长·
dà xiàng bí zi cháng yòu cháng

大象鼻子长又长，长长鼻子有用场。
dà xiàng bí zi cháng yòu cháng   cháng cháng bí zi yǒu yòng chǎng

它用鼻子来喝水，它用鼻子来打狼。
tā yòng bí zi lái hē shuǐ   tā yòng bí zi lái dǎ láng

它的鼻子真有劲，还能搬运大房梁。
tā de bí zi zhēn yǒu jìn   hái néng bān yùn dà fáng liáng

亲子提示

这首儿歌讲述了大象的主要特征，家长
在教孩子诵读时，可以在此基础上给他
们讲一些关于大象的其他知识。

83

小板凳

xiǎo bǎn dèng

xiǎo bǎn dèng　zhēn tīng huà　hé wǒ yì qǐ děng mā ma
小板凳，真听话，和我一起等妈妈。

mā ma xià bān huí lai la
妈妈下班回来啦，

wǒ qǐng mā ma kuài zuò xià
我请妈妈快坐下。

亲子提示

家长在教孩子念这首儿歌时，也可以适当地跟他们说一些自己的工作，让孩子知道爸爸妈妈为整个家庭付出的辛劳，培养他们关心他人、孝敬父母的品质。

我们都是好朋友

wǒ men dōu shì hǎo péng you

xiǎo niǎo ér　chéng qún fēi　xiǎo yú ér　chéng qún yóu
小鸟儿，成群飞，小鱼儿，成群游，

xiǎo péng yǒu　shǒu lā shǒu　pái chéng duì wu xiàng qián zǒu
小朋友，手拉手，排成队伍向前走。

chàng zhe gē　　pāi zhe shǒu
唱着歌，拍着手，

wǒ men dōu shì hǎo péng you
我们都是好朋友。

亲子提示

家长可以选择孩子们做群体活动时教他们诵读这首儿歌，培养他们团结、友爱、互助互乐的品质和精神。

天上星，地上钉

tiān shang xīng　　dì shang dīng　　dīng dīng dāng dāng guà yóu píng
天上星，地上钉，叮叮当当挂油瓶。

zhū xián cǎo　　gǒu qiān mò　　hóu zi tiāo shuǐ jǐng shang zuò
猪衔草，狗牵磨，猴子挑水井上坐。

jī táo mǐ　　māo shāo huǒ　　lǎo shǔ kāi mén xiào hē hē
鸡淘米，猫烧火，老鼠开门笑呵呵。

亲子提示

在教孩子诵读这首儿歌时，家长可以引导他们认识一些与我们相关的劳动场景，教育孩子要热爱劳动，懂得与他人合作。

蚕宝宝

cán bǎo bao
蚕宝宝

cán bǎo bao　　tuō yī shang
蚕宝宝，脱衣裳。

tuō yí jiàn　　biàn gè yàng
脱一件，变个样。

tuō le sì jiàn jiù yī shang
脱了四件旧衣裳，

biàn chéng yí gè cán gū niang
变成一个蚕姑娘。

亲子提示

这是一首典型的认知儿歌，家长可以一边教孩子诵读，一边结合相关的图片给孩子讲解蚕的蜕化过程。

声音歌
shēng yīn gē

xià yǔ le　huā huā huā　dǎ léi le　hōng lōng lōng
下雨了，哗哗哗。打雷了，轰隆隆。

guā fēng le　hū hū hū　xiǎo hé liú shuǐ huā lā lā
刮风了，呼呼呼，小河流水哗啦啦。

亲子提示

这首儿歌描述了自然界中的各种声音。家长在教授时，可以进一步提问：还有哪些声音是我们熟悉的？你能模仿出来吗？锻炼孩子的思考、模仿能力。

小蚱蜢
xiǎo zhà měng

xiǎo zhà měng　xué tiào gāo　yí tiào tiào shàng gǒu wěi cǎo
小蚱蜢，学跳高，一跳跳上狗尾草。

tuǐ yì tán　jiǎo yí qiào　nǎ ge yǒu wǒ tiào de gāo
腿一弹，脚一翘，哪个有我跳得高？

cǎo yì yáo　shuāi yì jiāo　tóu shang diē gè dà qīng bāo
草一摇，摔一跤，头上跌个大青包！

亲子提示

小蚱蜢确实是个"跳跃专家"。可是，它为什么还会摔跤呢？诵读时，家长可以借此引导孩子，告诉他们为人要谦虚，不骄傲。

数数几条腿
shǔ shǔ jǐ tiáo tuǐ

xiǎo hēi jī liǎng tiáo tuǐ　xiǎo niú dú sì tiáo tuǐ
小黑鸡，两条腿；小牛犊，四条腿；

qīng tíng liù tiáo tuǐ　páng xiè bā tiáo tuǐ
蜻蜓六条腿；螃蟹八条腿；

qiū yǐn shàn yú méi yǒu tuǐ
蚯蚓、鳝鱼没有腿。

亲子提示

家长可以结合图片教孩子诵读这首儿歌，不仅可以锻炼孩子对基础数字的认识，还可以使他们了解这几种动物的特征。

小猫拉车
xiǎo māo lā chē

xiǎo māo lā chē　lǎo shǔ bú zuò
小猫拉车，老鼠不坐；

hú li lā chē　xiǎo jī bú zuò
狐狸拉车，小鸡不坐；

huī láng lā chē　shān yáng bú zuò
灰狼拉车，山羊不坐；

lǎo hǔ lā chē　shéi yě bú zuò
老虎拉车，谁也不坐。

亲子提示

这是一首典型的认知儿歌。在教孩子诵读时，家长可以问问孩子：为什么老鼠不坐小猫拉的车呢？使孩子了解动物之间的生物链关系。

大公鸡

dà gōng jī

dà gōng jī, chuān huā yī. huā yī zāng, zì jǐ xǐ
大公鸡，穿花衣。花衣脏，自己洗。

bú yòng féi zào bú yòng shuǐ pū leng pū leng yòng shā xǐ
不用肥皂不用水，扑棱扑棱用沙洗。

亲子提示

孩子们对大公鸡都很熟悉，但对它的某些习性却并不是很清楚。在教授这首儿歌时，家长就可以告诉他们，大公鸡为什么会用沙洗澡，拓宽他们的认知领域。

小鸡、小鸭、小青蛙

xiǎo jī xiǎo yā xiǎo qīng wā

xiǎo jī xiǎo jī jī jī jī ài chī xiǎo chóng hé xiǎo mǐ
小鸡小鸡叽叽叽，爱吃小虫和小米；

xiǎo yā xiǎo yā gā gā gā biǎn biǎn zuǐ dà jiǎo yā
小鸭小鸭嘎嘎嘎，扁扁嘴，大脚丫；

xiǎo qīng wā guā guā guā zhuān chī hài chóng hù zhuāng jia
小青蛙，呱呱呱，专吃害虫护庄稼。

亲子提示

小鸡、小鸭和小青蛙都是孩子比较熟悉的小动物。家长在教孩子念这首儿歌时，可以引导孩子，让他们多说出一些自己熟悉的动物，并试着描述它们的特点。

小红鲤

xiǎo hóng lǐ

xiǎo hóng lǐ　hóng hóng sāi　shàng jiāng yóu dào xià jiāng lái
小红鲤，红红鳃，上江游到下江来。

shàng jiāng chī de líng zhī cǎo　xià jiāng chī de lǜ qīng tái
上江吃的灵芝草，下江吃的绿青苔。

líng zhī cǎo　lǜ qīng tái　fú róng kāi guo mǔ dān kāi
灵芝草，绿青苔，芙蓉开过牡丹开。

亲子提示

这首儿歌用简单的语句交代了鲤鱼的生活环境和生活习性，最后话题一转，又点明了各种花开的季节。诵读时，家长可以用讲故事的形式教孩子学习这些知识。

猫头鹰

māo tóu yīng

māo tóu yīng　māo tóu yīng　bái tiān shàng kè méi jīng shen
猫头鹰，猫头鹰，白天上课没精神。

wèi shén me　méi jīng shen
为什么，没精神？

měi wǎn dōu qù yóu xì tīng
每晚都去游戏厅！

亲子提示

在教授这首儿歌时，家长可以采用一问一答的方式，引导孩子自己说出猫头鹰为什么没精神，教育他们应该养成正确的作息习惯。

kāi huǒ chē
·开火车·

xiǎo bǎn dèng ya bǎi yì bǎi　xiǎo péng yǒu men zuò shang lai
小板凳呀摆一摆，小朋友们坐上来，

zuò shang lai ya zuò shang lai　wǒ men de huǒ chē jiù yào kāi
坐上来呀坐上来，我们的火车就要开。

亲子提示

家长可以采用游戏的方式教孩子诵读这首儿歌，比如全家人排成一队，再由一个人做司机，在念唱的同时做出相应的动作，激发孩子的学习兴趣。

táng láng gē
·螳螂哥·

táng láng gē　táng láng gē
螳螂哥，螳螂哥，

dù ér dà　chī de duō
肚儿大，吃得多。

fēi fēi néng bǎ fěn dié bǔ
飞飞能把粉蝶捕，

tiào tiào néng bǎ huáng chóng zhuō
跳跳能把蝗虫捉。

liǎng bǎ dà dāo wǔ qi lai
两把大刀舞起来，

yì zhī hài chóng bú fàng guò
一只害虫不放过。

亲子提示

家长在教孩子念这首儿歌时，可以结合儿歌的内容向孩子提一些问题，如：你还知道螳螂能捕食哪些害虫吗？借此向孩子传授一些相关的昆虫知识。

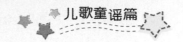

niū niū yào shàng yòu ér yuán
妞妞要上幼儿园

chuān shàng huā yī fu   dài shàng huā shǒu juàn
穿上花衣服，带上花手绢。

gāo gāo xìng xìng shuō zài jiàn   niū niū yào shàng yòu ér yuán
高高兴兴说再见，妞妞要上幼儿园。

亲子提示

家长可以选择在送孩子上幼儿园前教他们诵读这首儿歌，增加他们对幼儿园的兴趣，使他们能轻松愉快地去幼儿园。

biàn mó shù
变魔术

biàn zhī xiǎo tù bèng bèng tiào   biàn zhī xiǎo māo miāo miāo miāo
变只小兔蹦蹦跳，变只小猫喵喵喵。

lǎo shī kàn le mī mī xiào   zhí kuā wǒ men biàn de miào
老师看了眯眯笑，直夸我们变得妙。

亲子提示

在教孩子念这首儿歌时，家长可以设计一些简单的魔术，使孩子在玩中学。既培养了他们的学习兴趣，又使他们获得了游戏的愉悦。

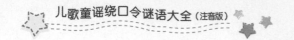

·文具盒·
wén jù hé

wén jù hé　　zuò yòng dà　　qiān bǐ xiàng pí quán zhuāng xià
文具盒，作用大，铅笔橡皮全装下。

hái yǒu yì zhī xiǎo gāng bǐ　　zhuāng zài lǐ miàn xīn huān xǐ
还有一支小钢笔，装在里面心欢喜。

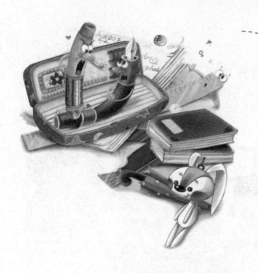

亲子提示

家长可以结合图片或实物，教孩子诵读
这首儿歌，同时教导他们要爱惜文具。

·幼儿园是我家·
yòu ér yuán shì wǒ jiā

jiān bìng jiān　　bǎ shǒu lā　　yòu ér yuán li hǎo wá wa
肩并肩，把手拉，幼儿园里好娃娃。

bù chǎo zuǐ　　bù dǎ jià　　qīn qīn rè rè shì yì jiā
不吵嘴，不打架，亲亲热热是一家。

亲子提示

家长可以和老师相互配合，在幼儿园或是孩子们集体游玩时教他们诵读这首儿歌，
教导他们应该懂得团结友爱。

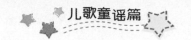

yuè liang zǒu   wǒ yě zǒu

月亮走，我也走

yuè liang zǒu   wǒ yě zǒu

月亮走，我也走，

yì zǒu zǒu dào jiā mén kǒu

一走走到家门口。

wǒ duì yuè liang huī huī shǒu   kuài diǎn shuì ba hǎo péng you

我对月亮挥挥手，快点睡吧好朋友。

guāi yuè liang   zhēn tīng huà   xiào zhe zuān jìn yún lǐ tou

乖月亮，真听话，笑着钻进云里头。

亲子提示

这个世界在孩子的眼中总是非常特别的，即使是远在天边的月亮也可以成为他们结伴而行的朋友。家长要注意在诵读中培养孩子对自然的热爱之情。

两只萤火虫

liǎng zhī yíng huǒ chóng

liǎng zhī yíng huǒ chóng　　chū mén zhǎo wài gōng
两 只 萤 火 虫，出 门 找 外 公。

fēi dào xī　　fēi dào dōng　　yì tóu zhā jìn cǎo cóng zhōng
飞 到 西，飞 到 东，一 头 扎 进 草 丛 中。

yí　gè shuō　　wǒ yào xiē xiē jiǎo
一 个 说：我 要 歇 歇 脚；

yí　gè shuō　　wǒ yào shuì yí jiào
一 个 说：我 要 睡 一 觉。

liǎng zhī yíng huǒ chóng　　shuì dào dōng fāng hóng
两 只 萤 火 虫，睡 到 东 方 红。

wài gōng zhǎo bu dào　　zhǐ yuàn zì jǐ shì lǎn chóng
外 公 找 不 到，只 怨 自 己 是 懒 虫。

亲子提示

这首儿歌是教育孩子做事要专心，不要懒惰。家长在教孩子诵读时，可以顺势提问：你有办法帮助萤火虫找到外公吗？

gǒu wěi cǎo
·狗尾草·

gǒu wěi cǎo　gǒu wěi cǎo　fēng chuī lái　liǎng biān dǎo
狗尾草，狗尾草，风吹来，两边倒。

zì jǐ méi zhǔ jiàn　ràng rén qiān zhe bí zi pǎo
自己没主见，让人牵着鼻子跑。

亲子提示

家长可以结合狗尾草的图片教孩子诵读这首儿歌，告诉他们，做人应该有原则，千万不要学习狗尾草，让人牵着鼻子跑。

mǎ lán huā
·马兰花·

mǎ lán huā　mǎ lán huā
马兰花，马兰花，

fēng chuī yǔ dǎ dōu bú pà
风吹雨打都不怕。

qín láo de rén ér zài shuō huà
勤劳的人儿在说话，

qǐng nǐ mǎ shàng jiù kāi huā
请你马上就开花。

亲子提示

家长在教孩子诵读这首儿歌时，可以给孩子讲讲马兰花的故事，让孩子懂得只有靠勤劳的双手，才能过上幸福的生活。

二月二，龙抬头

èr yuè èr lóng tái tóu tiān zǐ gēng dì chén gǎn niú
二月二，龙抬头，天子耕地臣赶牛。

zhèng gōng niáng niang lái sòng fàn dāng cháo dà chén bǎ zhǒng diū
正宫娘娘来送饭，当朝大臣把种丢。

chūn gēng xià yún shuài tiān xià wǔ gǔ fēng dēng tài píng qiū
春耕夏耘率天下，五谷丰登太平秋。

亲子提示

"二月二，龙抬头"是中华民族的一种习俗。家长在教授这首儿歌时，可以给孩子讲一讲有关二月二的各种习俗，扩展孩子的知识面。

太阳、地球和月亮

tài yáng dì qiú hé yuè liang

太阳大，地球小，地球绕着太阳跑。

地球大，月亮小，月亮绕着地球跑。

亲子提示

这首儿歌讲述了简单的天文常识。家长在教孩子诵读时，可以再给孩子讲一些相关的宇宙小知识，让孩子在玩乐中学到知识。

小蟋蟀

xiǎo xī shuài

天不怕，地不怕，就怕回家爸爸骂。

爸爸骂，为的啥？不爱学习爱打架！

亲子提示

家长在教孩子诵读这首儿歌时，可以顺势提问：如果你是小蟋蟀，应该怎样改正错误？以此培养孩子要热爱学习，不要调皮闯祸。

九九歌
jiǔ jiǔ gē

一九二九不出手，
yī jiǔ èr jiǔ bù chū shǒu

三九四九冰上走。
sān jiǔ sì jiǔ bīng shang zǒu

五九六九，沿河看柳。
wǔ jiǔ liù jiǔ yán hé kàn liǔ

七九河开，八九雁来，
qī jiǔ hé kāi bā jiǔ yàn lái

九九加一九，
jiǔ jiǔ jiā yì jiǔ

耕牛遍地走。
gēng niú biàn dì zǒu

这首儿歌有很多个版本，内容大同小异。在北方大部分地区都能看到儿歌中的情景，家长在教孩子诵读时，可以引导孩子联想儿歌中的内容。

·小乌贼·
xiǎo wū zéi

xiǎo wū zéi zǎ bù měi yuán lái tā shì táo qì guǐ
小乌贼，咋不美？原来它是淘气鬼！

yóu xì zuì ài zuān ní shā chǎo jià jiù ài pō mò shuǐ
游戏最爱钻泥沙，吵架就爱泼墨水！

亲子提示

家长可以采用一问一答的方式教孩子
诵读这首儿歌。如：小乌贼，咋不美？
然后让孩子回答，引导他们自己说
出其中的道理。

·鸵鸟·
tuó niǎo

dà tuó niǎo dǎn zi xiǎo jiàn le shēng rén bù gǎn pǎo
大鸵鸟，胆子小，见了生人不敢跑。

nǎo dai yào dào shā li zhǎo
脑袋要到沙里找，

pì gu juē de bàn tiān gāo
屁股撅得半天高。

亲子提示

儿歌用诙谐的语句向孩子描述了一只胆子小的
鸵鸟。家长在教孩子诵读时，应该告诉他们，其
实鸵鸟把头埋在沙里也是一种生活习惯。

月亮白光光

yuè liang bái guāng guāng shéi lái tōu jiàng gāng
月亮白光光，谁来偷酱缸，

lóng zi tīng jiàn máng qǐ chuáng yǎ zi gāo shēng hǎn chū fáng
聋子听见忙起床，哑子高声喊出房。

亲子提示

这是一首幽默儿歌。家长在教授孩子诵读时，要让孩子自己想想儿歌中所讲的事情可不可能发生，并说说原因。

几只鸟

yì zhī má què kōng zhōng fēi liǎng zhī yàn zi shēn hòu zhuī
一只麻雀空中飞，两只燕子身后追。

sān zhī xǐ què zhā zhā jiào sì zhī gē zi jǐn gēn suí
三只喜鹊喳喳叫，四只鸽子紧跟随。

qǐng nǐ gǎn kuài suàn yí suàn jǐ zhī niǎo ér tiān shang fēi
请你赶快算一算，几只鸟儿天上飞。

亲子提示

这是一首蕴含着数字计算的儿歌。教授这首儿歌时，家长可以问孩子：一共有几只鸟？锻炼他们的计算能力。

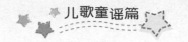
·蔬菜歌·

shū cài gē

huáng guā hóng là zi　qīng dòu zǐ qié zi
黄瓜红辣子，青豆紫茄子，

bái cài hóng luó bo　chéng mǎn yì lán zi
白菜红萝卜，盛满一篮子。

亲子提示

家长可以对照相应的图片教孩子诵读这首儿歌。或是采用提问的形式，如什么蔬菜是红的？帮助孩子展开想象，认识更多的瓜果蔬菜。

·蒲公英·

pú gōng yīng

cǎo dì shang fēng ér chuī
草地上，风儿吹，

pú gōng yīng dǎ kē shuì
蒲公英，打瞌睡。

mèng jiàn zì jǐ xiǎo bǎo bao
梦见自己小宝宝，

biàn chéng yì qún xiǎo sǎn bīng
变成一群小伞兵。

亲子提示

家长可以在教授这首儿歌的同时给孩子讲一些有关蒲公英的知识。如果有时间，还可以带孩子到野外，观察一下蒲公英，加深他们的认识。

chūn tiān dào
春天到

chūn tiān dào　chūn tiān dào
春天到，春天到，

zhī tóu huā ér xiāng
枝头花儿香，

liáng jiān yàn zi nào
梁间燕子闹。

biàn dì zhǎng lǜ cǎo
遍地长绿草，

niú yáng lè táo táo
牛羊乐陶陶。

亲子提示

家长可以带孩子到野外，一边教孩子诵读这首儿歌，一边让他们通过观察树叶、花草、小鸟等来感受春天，认识春天。

亲子提示

这是一首培养孩子好习惯的儿歌，在教授之余，家长还应该督促孩子饭前、便后坚持洗手，帮助他们养成讲卫生的好习惯。

fàn qián yào xǐ shǒu
饭前要洗手

xiǎo liǎn pén　shuǐ qīng qīng
小脸盆，水清清，

xiǎo péng yǒu　xiào yíng yíng
小朋友，笑盈盈。

xiǎo shǒu ér　shēn chu lai
小手儿，伸出来，

xǐ yì xǐ　bái yòu jìng
洗一洗，白又净。

chī fàn qián　xǐ xǐ shǒu
吃饭前，洗洗手，

jiǎng wèi shēng　bù dé bìng
讲卫生，不得病。

duō chī shū cài shēn tǐ hǎo
· 多吃蔬菜身体好 ·

dà luó bo　　shuǐ líng líng　　xiǎo bái cài　　lù yíng yíng
大萝卜，水灵灵，小白菜，绿莹莹。

xī hóng shì　　xiàng dēng long　　huáng guā yì yǎo cuì shēng shēng
西红柿，像灯笼，黄瓜一咬脆生生。

duō chī shū cài shēn tǐ hǎo　　zhuàng zhuàng shí shí shǎo shēng bìng
多吃蔬菜身体好，壮壮实实少生病。

亲子提示

孩子挑食是令很多家长头疼的问题。家长可以将儿歌中讲述的知识传达给孩子，引起孩子的兴趣，帮助他们改掉挑食的毛病。

亲子提示

这是一首关于读书的儿歌，简单易记。家长在教孩子诵读时，还可以教导孩子要好好学习，用功读书。

yuè guāng guāng
· 月光光 ·

yuè guāng guāng　zhào dì táng
月光光，照地堂，

zhào jìn dà sǎo fáng
照进大嫂房，

dà gē xiě zì dào tiān liàng
大哥写字到天亮。

·手·

shǒu

yì zhī shǒu liǎng zhī shǒu wò chéng liǎng gè xiǎo quán tóu
一只手，两只手，握成两个小拳头。

xiǎo quán tóu tān kai lai zhǎng chū shí gè xiǎo péng yǒu
小拳头，摊开来，长出十个小朋友。

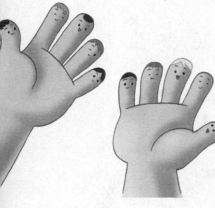

亲子提示

家长在教孩子念这首儿歌时，可以让孩子根据儿歌的内容变换自己的手势，锻炼孩子的协调和感知能力。

·小青蛙·

xiǎo qīng wā

dà yǎn jing kuò zuǐ ba qīng cǎo chí táng shì tā jiā
大眼睛，阔嘴巴，青草池塘是它家。

bái wéi qún lǜ zhào guà
白围裙，绿罩褂，

yóu yǒng tiào shuǐ běn lǐng dà
游泳跳水本领大。

亲子提示

家长可以一边模仿青蛙的动作，一边教孩子诵读这首儿歌。同时，也不要忘了告诉孩子，青蛙是人类的朋友，应当受到保护。

两只羊
liǎng zhī yáng

东边一只羊，西边一只羊，
dōng bian yì zhī yáng　xī bian yì zhī yáng

一起走到小桥上。你也不肯让，
yì qǐ zǒu dào xiǎo qiáo shang　nǐ yě bù kěn ràng

我也不肯让，双双掉进河中央。
wǒ yě bù kěn ràng shuāng shuāng diào jìn hé zhōng yāng

家长在教孩子诵读时，可以问问他们：小羊为什么掉进河里了？引导孩子自己说出其中的道理，培养他们谦让的品质。

蚂蚁搬蛋糕
mǎ yǐ bān dàn gāo

小蚂蚁，搬蛋糕，
xiǎo mǎ yǐ　bān dàn gāo

一个搬，一个扛，
yí gè bān　yí gè káng

两个三个四五个，
liǎng gè sān gè sì wǔ gè

搬回蛋糕笑呵呵。
bān huí dàn gāo xiào hē hē

这是一首蕴含着数字游戏的儿歌。在教孩子诵读时，家长可以引导孩子：一共有几只小蚂蚁？他们在干什么？培养孩子对基础数字的认识。

鼠老师画猫

shǔ lǎo shī huà māo

鼠老师画猫，眼睛要画小，
脚爪要画少，胡子要画翘，
牙齿一个也不剩，我们才好睡大觉。

亲子提示

在教孩子诵读这首儿歌时，家长可以根据所配
的图片问问孩子：为什么鼠老师画出的猫和我
们平时见到的不一样呢？培养孩子的分析能力。

小台灯

xiǎo tái dēng

小台灯，像宝宝，
爷爷看书它也瞧。
睁着大眼弯着腰，
不声不响静悄悄。

亲子提示

家长可选择在晚上教孩子诵读这首儿歌，
不但可以使他们学会观察周围的事物，也
使他们懂得，要学会关心、不打扰他人。

tiào shéng
·跳绳·

xié zi shang xiù xiǎo tù niū niū tiào shéng yǒu jìn bù
鞋子上，绣小兔，妞妞跳绳有进步。

wèn tā wèi shá tiào de hǎo tā shuō xiǎo tù lái bāng zhù
问她为啥跳得好，她说小兔来帮助。

亲子提示

家长可以一边和孩子玩跳绳的游戏，一边教他们诵读这首儿歌。不但可以锻炼孩子的身体协调能力，也能够增进亲子关系。

guò nián
·过年·

zhú gān tiǎo qǐ hóng biān pào
竹竿挑起红鞭炮，

wá wa hǎo xiàng bǎ yú diào
娃娃好像把鱼钓。

xīn nián shì tiáo hóng lǐ yú pī li pā lā bèng yòu tiào
新年是条红鲤鱼，噼里啪啦蹦又跳。

亲子提示

这首儿歌为孩子描述了新年的场景，家长可以选择在过新年的时候和孩子一起诵读，还可以适当给他们讲解一些新年的习俗。

shù gōng gong yǎng niǎo
·树公公养鸟·

dà shù gōng gong yǎng niǎo duō　bú yòng niǎo lóng yòng niǎo wō
大树公公养鸟多，不用鸟笼用鸟窝。

niǎo wō jià zài jiān bǎng shang　ěr duǒ biān shang niǎo chàng gē
鸟窝架在肩膀上，耳朵边上鸟唱歌。

亲子提示

家长可以选择在带孩子去户外游玩的时候教孩子诵读这首儿歌，培养他们热爱大自然、保护大自然的感情。

wō niú de jiā
·蜗牛的家·

yǒu xiǎo wū　méi xiǎo yuàn　wō niú zhù zhe tǐng xǐ huan
有小屋，没小院，蜗牛住着挺喜欢：

wǒ de jiā　zǒng děi bān　yǒu le yuàn zi gèng má fan
我的家，总得搬，有了院子更麻烦。

**亲子提示**

家长可以带孩子到户外去观察蜗牛，然后再教他们诵读这首儿歌，同时可以给孩子讲解一些相关知识，如蜗牛的习性等，增进孩子学习的兴趣。

谁的耳朵
shéi de ěr duo

谁的耳朵长?
shéi de ěr duo cháng

兔子耳朵长。
tù zi ěr duo cháng

谁的耳朵短?
shéi de ěr duo duǎn

马的耳朵短。
mǎ de ěr duo duǎn

谁的耳朵听得远?
shéi de ěr duo tīng de yuǎn

狗的耳朵听得远。
gǒu de ěr duo tīng de yuǎn

谁的耳朵尖尖指向天?
shéi de ěr duo jiān jiān zhǐ xiàng tiān

小猫耳朵尖尖指向天。
xiǎo māo ěr duo jiān jiān zhǐ xiàng tiān

亲子提示

这是一首典型的问答儿歌。家长可以和孩子互动,采用一问一答的形式,培养孩子的应答、思考能力。

dōng dōng dōng
·咚咚咚·

xiǎo bái tù   zhù èr lóu
小白兔，住二楼，

yì tiān dào wǎn bèng zhe zǒu
一天到晚蹦着走。

bèng de lóu bǎn dōng dōng dōng
蹦得楼板咚咚咚，

qì pǎo lóu xià xiǎo huā gǒu
气跑楼下小花狗。

亲子提示

在教孩子诵读这首儿歌时，家长可以问问他们："小白兔的做法对吗？如果是你，应该怎么做？"教导孩子不要影响他人。

xiǎo tù hài pà la
·小兔害怕啦·

xiǎo tù yào dào hé duì àn
小兔要到河对岸，

wū guī guò lai dàng dù chuán
乌龟过来当渡船。

xiǎo tù yì qiáo bù gǎn shàng
小兔一瞧不敢上，

tā shuō chuán shang méi hù lán
他说船上没护栏。

亲子提示

家长可以拿出乌龟的图片，一边看一边教孩子诵读这首儿歌，借机告诉他们要有安全意识。

蚂蚁拔河
mǎ yǐ bá hé

xiǎo mǎ yǐ　fēn liǎng bō
小蚂蚁，分两拨，

zhǎo gēn tóu fa wán bá hé
找根头发玩拔河。

zhè biān zhuài　nà biān tuō
这边拽，那边拖，

hāi yō hāi yō hǎo kuài huo
嗨哟嗨哟好快活。

亲子提示

教这首儿歌时，家长可以问问孩子："一根头发就能做小蚂蚁拔河用的绳子，你知道这是为什么吗？"培养孩子的思考能力。

亲子提示

家长在教孩子这首儿歌时，可以借机告诉他们，一定要注意在天冷的时候添加衣裳，否则就会像小花猫那样，不但自己难受，还会受到别人的嘲笑。

小猫打喷嚏
xiǎo māo dǎ pēn tì

xiǎo huā māo　bù chuān yī
小花猫，不穿衣，

zǒng shì gǎn mào dǎ pēn tì
总是感冒打喷嚏。

ā tì ā tì liú bí tì
啊嚏啊嚏流鼻涕，

xiào de lǎo shǔ wǔ dù pí
笑得老鼠捂肚皮。

露珠娃娃
lù zhū wá wa

露珠娃，溜出家，黑天半夜还玩耍。
lù zhū wá liū chū jiā hēi tiān bàn yè hái wán shuǎ

花当轿，草当马，骑马坐轿不回家。
huā dàng jiào cǎo dàng mǎ qí mǎ zuò jiào bù huí jiā

太阳妈妈出来找，一个一个拽走啦。
tài yáng mā ma chū lai zhǎo yí gè yí gè zhuài zǒu la

亲子提示

在教授这首儿歌时，家长可以问问孩子："你知道为什么太阳妈妈要拽走露珠娃娃吗？"借机告诉他们关于露珠的形成等知识。

下雨
xià yǔ

哗哗哗，下大雨。荷叶打雨伞，
huā huā huā xià dà yǔ hé yè dǎ yǔ sǎn

玉米穿雨衣，石榴娃娃挤一起，
yù mǐ chuān yǔ yī shí liu wá wa jǐ yì qǐ

罩上红红小雨披。
zhào shàng hóng hóng xiǎo yǔ pī

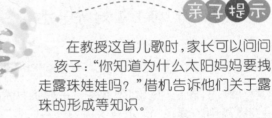

亲子提示

这是一首典型的认知儿歌，诵读时，家长可以结合图片为孩子讲解关于这些植物的知识，培养他们的认知能力。

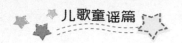

流星
liú xīng

yuè yá wān wān yuè yá
月牙弯，弯月牙，

hǎo xiàng huá tī méi rén huá
好像滑梯没人滑。

méi rén huá yīn wèi shá
没人滑，因为啥？

xiǎo xīng xing men qiǎng zhe dá
小星星们抢着答：

zuó tiān yǒu gè xīng wá wa
"昨天有个星娃娃，

huá xia qu jiù méi yǐng la
滑下去就没影啦！"

亲子提示

在教孩子诵读这首儿歌时，家长可以
问问他们："小星星们的回答对吗？"
借此为他们讲解一些关于流星的知识。

小木马
xiǎo mù mǎ

xiǎo mù mǎ bù chī cǎo
小木马，不吃草。

bù chī cǎo kě bù hǎo
不吃草，可不好，

wǒ zhǎng gāo le nǐ hái xiǎo
我长高了你还小，

zhǐ néng tuó wǒ bù néng pǎo
只能驮我不能跑。

亲子提示

儿歌充满童趣，同时又点出了木马的特征。家长可
以选择在带孩子玩旋转木马时诵读这首儿歌，加深
他们的认识。

小猫下河了

xiǎo māo xià hé le

huā zhěn tào　xiù xiǎo māo　　hé biān xǐ zhěn tào
花枕套，绣小猫。河边洗枕套，

xià de xiǎo yú tiào
吓得小鱼跳：

dà jiā kuài kuài táo
"大家快快逃，

xiǎo māo xià hé le
小猫下河了！"

亲子提示

这是一首趣味盎然的儿歌，家长在教孩子诵读时可以结合儿歌内容适当提醒他们："无论做什么事都要细心观察，千万不要学粗心的小鱼。"

藏猫猫

cáng māo māo

xiǎo zhū xiǎo gǒu cáng māo māo
小猪小狗藏猫猫，

xiǎo gǒu zǒng bǎ zhū zhǎo zháo
小狗总把猪找着。

xiǎo zhū xiǎng xiǎng bù cáng la
小猪想想不藏啦，

gǎn jǐn huí jiā qù xǐ zǎo
赶紧回家去洗澡：

wǒ bǎ shēn shang wèir　　xǐ diào
"我把身上味儿洗掉，

ràng nǐ bí zi wén bu zháo
让你鼻子闻不着。"

亲子提示

在教孩子诵读这首儿歌时，家长可以问问他们："小猪为什么总被小狗找到呢？"借机教导他们养成讲卫生的好习惯。

·扫落叶·
sǎo luò yè

qiū fēng pó po bǎ shù yáo　shù yè huā huā wǎng xià diào
秋风婆婆把树摇，树叶哗哗往下掉。

qiū fēng wá wa huī sào zhou　wéi zhe shù gàn zhuàn quān sǎo
秋风娃娃挥扫帚，围着树干转圈扫。

xiǎng bǎ luò yè sǎo gān jìng　sǎo le yì tiān méi jiàn shǎo
想把落叶扫干净，扫了一天没见少。

亲子提示

这首儿歌巧妙地将知识蕴含在语句当中。在教孩子诵读的时候，家长可以趁机问问他们："你知道为什么秋风娃娃扫了一天也没见少吗？"

·小河冻冰啦·
xiǎo hé dòng bīng la

běi fēng yé ye dà dù pí
北风爷爷大肚皮，

dù li quán dōu shì liáng qì
肚里全都是凉气。

chuī de xiǎo hé shòu bu liǎo
吹得小河受不了，

gǎn jǐn zhuāng shàng chuāng bō li
赶紧装上窗玻璃。

亲子提示

这是一首典型的认知儿歌，家长可以采用提问的方式教孩子诵读："你知道小河的玻璃窗是什么吗？"加深他们对冬天的认识。

qīng tíng
·蜻蜓·

hóng qīng tíng　lù qīng tíng　fēi dào chí táng tíng yī tíng
红蜻蜓，绿蜻蜓，飞到池塘停一停。

lù de luò zài hé yè shang　hóng de luò zài hé huā zhōng
绿的落在荷叶上，红的落在荷花中。

mǎn táng lù　piàn piàn hóng　qīng tíng zài nǎ kàn bu qīng
满塘绿，片片红，蜻蜓在哪看不清。

亲子提示

家长可以准备一些相关的图片，或是带孩子到公园中的荷塘，然后再教他们诵读这首儿歌，使他们对儿歌中提到的事物有更深刻的认识。

xiǎo fēng chē
·小风车·

xiǎo fēng chē　yuán yòu yuán　wá wa jǔ zhe pǎo de huān
小风车，圆又圆，娃娃举着跑得欢。

fēng chē hǎo xiàng chē lún zhuàn
风车好像车轮转，

yào dài wá wa pǎo shàng tiān
要带娃娃跑上天。

亲子提示

家长可以带孩子到野外，给他们做个风车，然后一边玩儿一边教他们诵读这首儿歌，培养他们对大自然的热爱。

洗水果

xǐ shuǐ guǒ

píng guǒ dà huáng xìng xiǎo zuì zuì xiǎo de shì yīng táo
苹果大，黄杏小，最最小的是樱桃。

wǒ gěi tā men pái hǎo duì
我给它们排好队，

bǎi chéng yī liù děng xǐ zǎo
摆成一溜等洗澡。

爸爸妈妈可以在洗水果的时候教孩子诵读这首儿歌，既可以加深他们对各种水果的认识，也能让他们学着干一些力所能及的活儿。

吃糖果

chī táng guǒ

táng guǒ wá wa jìn zuǐ ba shé tou lǒu tā yá duǒ tā
糖果娃娃进嘴巴，舌头搂它牙躲它。

shé tou qiāo qiāo gào su yá táng guǒ shì gè hǎo wá wa
舌头悄悄告诉牙，糖果是个好娃娃，

nǐ yào shēng bìng bié guài tā guài nǐ zì jǐ bù cháng shuā
你要生病别怪它，怪你自己不常刷。

许多孩子都喜欢吃糖，家长可以借这首儿歌告诉他们吃糖的坏处，帮助他们养成勤刷牙的好习惯。

贪吃的小熊
tān chī de xiǎo xióng

xiǎo xióng guāng chī bīng jī líng　mā ma shuō tā yě bù tīng
小熊 光吃冰激凌，妈妈说他也不听。

chī de tài duō dù zi téng　pā zài chuáng shang zhí hēng hēng
吃的太多肚子疼，趴在床上直哼哼。

mā ma wèn tā zěn me la　tā shuō zài zuò fǔ wò chēng
妈妈问他怎么啦？他说在做俯卧撑。

亲子提示

在教孩子诵读这首儿歌时，爸爸妈妈可以借机问问孩子："小熊的做法对吗？如果是你应该怎么做？"帮助孩子改掉生活中的一些毛病。

蜗牛瞧火车
wō niú qiáo huǒ chē

huǒ chē huǒ chē wū wū pǎo
火车火车呜呜跑，

wō niú tuó zhe xiǎo wū qiáo
蜗牛驮着小屋瞧，

zhè shì shéi de dà fáng zi
这是谁的大房子，

bǐ wǒ pǎo de kuài duō le
比我跑得快多了。

亲子提示

多么可爱的小蜗牛！家长在教孩子诵读这首儿歌时，可以着重突出儿歌的这个特质，同时也使孩子对蜗牛的特点有进一步的了解。

馋嘴猫

chán zuǐ māo

馋嘴猫，馋嘴猫，
chán zuǐ māo chán zuǐ māo

打开冰箱把鱼叼。
dǎ kāi bīng xiāng bǎ yú diāo

鱼儿冻得冰冰凉，
yú ér dòng de bīng bīng liáng

它把鱼儿当雪糕。
tā bǎ yú ér dàng xuě gāo

亲子提示

这是一首充满童趣的儿歌，在教孩子诵读时，家长可以问问他们："这只馋嘴的小猫还有什么缺点，你知道吗？"锻炼他们的分析能力。

画雪花

huà xuě huā

蜡笔红，蜡笔黄，我画雪花都用上。
là bǐ hóng là bǐ huáng wǒ huà xuě huā dōu yòng shàng

红雪花，黄雪花，飘飘洒洒多漂亮。
hóng xuě huā huáng xuě huā piāo piāo sǎ sǎ duō piào liang

我把冬天画暖和，满天雪花像太阳。
wǒ bǎ dōng tiān huà nuǎn huo mǎn tiān xuě huā xiàng tài yáng

亲子提示

在教这首儿歌时，家长可以问问孩子："本来白色的雪花在小作者笔下怎么变成了五颜六色？"借此培养他们对生活的热爱。

蜈蚣染指甲
wú gōng rǎn zhǐ jia

指甲花，红艳艳，小蜈蚣，采一篮。
zhǐ jia huā hóng yàn yàn xiǎo wú gōng cǎi yì lán

满篮花瓣提回家，染红指甲多好看。
mǎn lán huā bàn tí huí jiā rǎn hóng zhǐ jia duō hǎo kàn

哎呀指甲太多啦，花瓣用光没染完。
āi yā zhǐ jia tài duō lā huā bàn yòng guāng méi rǎn wán

这首儿歌用充满童趣的语言描绘了一只"臭美"的小蜈蚣，同时也巧妙地点出了蜈蚣的特征。家长在教孩子诵读时也可以给他们讲解一些蜈蚣的相关知识。

绵羊妈妈
mián yáng mā ma

头发烫成弯弯绕，
tóu fa tàng chéng wān wān rào

绵羊妈妈让人瞧。
mián yáng mā ma ràng rén qiáo

大家夸她烫得好，
dà jiā kuā tā tàng de hǎo

她又烫身卷卷毛。
tā yòu tàng shēn juǎn juǎn máo

这首儿歌借"绵羊妈妈烫头发"为孩子讲述了绵羊的特征。家长在教孩子诵读时，还可以问问他们："你知道绵羊还有哪些特征吗？"培养他们的分析能力。

shù yè hū lā quān
树叶呼啦圈

huáng yè piàn　hóng yè piàn
黄叶片，红叶片，

fēng chuī luò yè　dǎ zhuàn zhuàn
风吹落叶打转转。

luò yè wéi zhe dà shù gàn
落叶围着大树干，

huā lā huā lā zhuàn de huān
哗啦哗啦转得欢。

shù gōng gong　zhēn huì wán
树公公，真会玩，

zì jǐ zuò gè hū lā quān
自己做个呼啦圈。

xià tiān de hé táng
夏天的荷塘

xià tiān dào　hé huā hóng
夏天到，荷花红，

hé yè hǎo xiàng xiǎo liáng tíng
荷叶好像小凉亭。

liáng tíng xià　yǒu yīn liáng
凉亭下，有阴凉，

yú ér zài wán zhuō mí cáng
鱼儿在玩捉迷藏。

春天来啦
chūn tiān lái la

chūn tiān dào　chūn fēng guā　yáng shù liǔ shù fā lǜ yá
春天到，春风刮，杨树柳树发绿芽。

hóng táo huā　bái lí huā　yàn zi fēi lái jiào zhā zhā
红桃花，白梨花，燕子飞来叫喳喳。

wá wa zhuài zhuài lǜ liǔ tiáo　xiàng hé chūn tiān bǎ shǒu lā
娃娃拽拽绿柳条，像和春天把手拉。

亲子提示

这首儿歌用欢快的语气描绘了春天热闹而富有生机的景象。家长可以借休息时间带孩子到野外走走，使孩子真正领略春的气息。

鼠和洞
shǔ hé dòng

xiǎo lǎo shǔ　zhù dì dòng
小老鼠，住地洞，

xiǎo sōng shǔ　zhù shù dòng
小松鼠，住树洞。

xiǎo dài shǔ　zuì gāo xìng
小袋鼠，最高兴，

mā ma huái li yǒu gè dòng
妈妈怀里有个洞。

亲子提示

这是一首充满童趣的认知儿歌，在教孩子阅读时，家长可以结合图片提问孩子："你知道袋鼠妈妈怀里的洞是什么吗？"拓宽他们的认知领域。

画跑道
huà pǎo dào

xiǎo mǎ yǐ　yào sài pǎo　jǐ zhǐ wō niú huà pǎo dào
小蚂蚁，要赛跑，几只蜗牛画跑道。

cóng zǎo huà dào hēi le tiān　chà yì duō bàn méi huà hǎo
从早画到黑了天，差一多半没画好。

zhuǎn tiān mǎ yǐ lái bǐ sài　bǎi mǐ gǎi chéng shí mǐ pǎo
转天蚂蚁来比赛，百米改成十米跑。

亲子提示

在教孩子诵读这首儿歌时，家长可以问孩子："为什么画了一天，蜗牛还没有画好跑道？"再引导他们说说蜗牛的其他特点。

踢足球
tī zú qiú

lǜ cǎo dì　cháng yòu fāng　yì biān yí gè kōng mén kuàng
绿草地，长又方，一边一个空门框。

cǎo dì bú fàng niú hé yáng　fàng gè qiú ér dà jiā qiǎng
草地不放牛和羊，放个球儿大家抢。

亲子提示

在教孩子诵读这首儿歌时，家长可以结合图片适当为他们讲解一些足球的相关知识，拓宽他们的认知领域。

丢手绢

diū shǒu juàn diū shǒu juàn
丢手绢，丢手绢，

qīng qīng de fàng zài xiǎo péng yǒu de hòu miàn
轻轻地放在小朋友的后面，

dà jiā bú yào gào su tā
大家不要告诉他，

kuài diǎn kuài diǎn zhuā zhù tā
快点快点抓住他，

kuài diǎn kuài diǎn zhuā zhù tā
快点快点抓住他。

《丢手绢》是一首游戏类的儿歌，很多家长小时候也玩过。学习这首儿歌时，家长可以和孩子一起来玩这个游戏，锻炼孩子的反应能力。

踢毽歌
tī jiàn gē

大花鼓儿，
dà huā gǔr

扬花扇儿，
yáng huā shànr

一个毽子踢两半儿，
yí gè jiàn zi tī liǎng bànr

里踢外拐，八仙过海，
lǐ tī wài guǎi bā xiān guò hǎi

九十九，一百。
jiǔ shí jiǔ yì bǎi

亲子提示

踢毽子是一种集锻炼、娱乐于一身的运动，许多孩子都喜欢。教授时，家长可以让孩子边踢毽子边学儿歌，促进孩子身体的协调性。

亲子提示

诵读这首儿歌时，家长可以先让孩子听一遍，再加以引导，让他们试着找出儿歌中的错误，从而锻炼孩子的判断力。

真稀奇
zhēn xī qí

稀奇稀奇真稀奇，
xī qí xī qí zhēn xī qí

蚂蚁踩死大公鸡，
mǎ yǐ cǎi sǐ dà gōng jī

爸爸睡在摇篮里，
bà ba shuì zài yáo lán li

宝宝唱着摇篮曲。
bǎo bao chàng zhe yáo lán qǔ

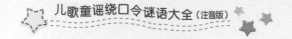

·十二月歌·
shí èr yuè gē

zhēng yuè yào bǎ lóng dēng shuǎ　　èr yuè yào bǎ fēng zheng zā
正月要把龙灯耍，二月要把风筝扎，

sān yuè qīng míng bǎ liǔ chā　　sì yuè mǔ dan zhèng kāi huā
三月清明把柳插，四月牡丹正开花，

wǔ yuè lóng zhōu xià hé bà　　liù yuè yào bǎ shàn zi ná
五月龙舟下河坝，六月要把扇子拿，

qī yuè niú nǚ qiáo shang huì　　bā yuè zhōng qiū kàn guì huā
七月牛女桥上会，八月中秋看桂花，

jiǔ yuè chóng yáng dēng gāo qù　　shí yuè chū shí dǎ cí bā
九月重阳登高去，十月初十打糍粑，

dōng yuè tiān hán yào kǎo huǒ　　là yuè guò nián bǎ zhū shā
冬月天寒要烤火，腊月过年把猪杀。

亲子提示

这首儿歌描述了一年十二个月的不同景致，家长在教孩子诵读时，可以对儿歌中提到的习俗进行拓展，让孩子有更深入的了解。

爱花 ài huā

guā téng kāi huā xiàng lǎ ba
瓜藤开花像喇叭，

wá wa ài huā bú qù qiā
娃娃爱花不去掐。

guā téng kāi huā huā jiē guā
瓜藤开花花结瓜，

yào chī guā bù qiā huā
要吃瓜，不掐花，

wá wa ài huā yě ài guā
娃娃爱花也爱瓜。

花为什么会结果？原来，当小虫子们来采花蜜的时候，将雄蕊上的花粉带到了雌蕊上，经过一段时间的生长，花朵便会结出果实。

băn dèng yŭ biăn dan
·板凳与扁担·

biăn dan cháng　　băn dèng kuān
扁担长，板凳宽，

băn dèng méi yŏu biăn dan cháng
板凳没有扁担长，

biăn dan méi yŏu băn dèng kuān
扁担没有板凳宽。

biăn dan yào băng zài băn dèng shang
扁担要绑在板凳上，

băn dèng piān bú ràng biăn dan băng zài băn dèng shang
板凳偏不让扁担绑在板凳上。

亲子提示

对较小的孩子来说，读准这则绕口令比较困难。在学习的过程中，要注意循序渐进。家长扮演板凳，让孩子扮演扁担，配合绕口令做拥抱的游戏，孩子会更有兴趣。

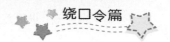

biǎn biǎn wá bá biǎn dòu
扁扁娃拔扁豆

biǎn biǎn wá bēi gè biǎn kǒu bēi lǒu
扁扁娃背个扁口背篓，

shàng biǎn biǎn shān bá biǎn dòu
上扁扁山拔扁豆，

bá le yì biǎn bēi lǒu biǎn dòu
拔了一扁背篓扁豆，

biǎn biǎn wá bēi bú qǐ yì biǎn bēi lǒu biǎn dòu
扁扁娃背不起一扁背篓扁豆，

bēi le bàn biǎn bēi lǒu biǎn dòu
背了半扁背篓扁豆。

亲子提示

扁豆是一种常见的蔬菜。不过，扁豆不可以生吃，因为没有煮熟的扁豆是有毒的。这个生活常识一定要告诉孩子。

·菠萝与陀螺·
bō luó yǔ tuó luó

坡上长菠萝，
pō shang zhǎng bō luó

坡下玩陀螺。
pō xià wán tuó luó

坡上掉菠萝，
pō shang diào bō luó

菠萝砸陀螺。
bō luó zá tuó luó

砸破陀螺补陀螺，
zá pò tuó luó bǔ tuó luó

顶破菠萝剥菠萝。
dǐng pò bō luó bāo bō luó

亲子提示

b 和 t 两个声母的发音有不同的地方，也有相同的地方。在诵读的过程中，可以总结出规律：b 和 t 发音时都不宜拖太长，要先闭紧双唇，然后弹开。

蚕和蝉

cán hé chán

pá lái pá qù shì cán   fēi lái fēi qù shì chán
爬来爬去是蚕，飞来飞去是蝉。

cán cháng zài yè li cáng   chán cháng zài lín li chàng
蚕常在叶里藏，蝉常在林里唱。

亲子提示

蚕和蝉是两种不同的昆虫。蚕以桑叶为食，可以吐丝结茧。蝉俗称"知了"，雄蝉身体里有一个发声器官，只有它们才会鸣叫。

吃葡萄

chī pú tao

chī pú tao
吃葡萄，

bù tǔ pú tao pí
不吐葡萄皮。

bù chī pú tao
不吃葡萄，

dào tǔ pú tao pí
倒吐葡萄皮。

亲子提示

吃葡萄到底该不该吐葡萄皮呢？其实葡萄皮中蕴含很高的营养成分，只要把葡萄洗得干干净净，吃葡萄不吐葡萄皮是很科学的。

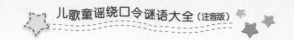

·搭白塔·

dā bái tǎ

bái shí bái yòu huá bān lái bái shí dā bái tǎ
白石白又滑，搬来白石搭白塔。

bái shí dā bái tǎ bái tǎ bái shí dā
白石搭白塔，白塔白石搭。

dā hǎo bái shí tǎ bái tǎ bái yòu huá
搭好白石塔，白塔白又滑。

亲子提示

积木是小孩子最爱玩的玩具，不妨在读绕口令的同时，跟孩子一起动手搭建一座小塔，让小孩子们在动口的同时也锻炼一下动手的能力。

·打水漂儿·

dǎ shuǐ piāor

shuǐ piáo dǎ shuǐ piāor shuǐ shang piāo zhe piáo
水瓢打水漂儿，水上漂着瓢。

piáo zài shuǐ shang piāo shuǐ shang yǒu shuǐ piáo
瓢在水上漂，水上有水瓢。

亲子提示

和孩子一起玩打水漂儿的游戏，并告诉孩子：只要选对石子，掷对角度，便会打出漂亮的水漂儿。同样的道理，如果懂得做事的方法，便会有事半功倍的效果。

大花活蛤蟆
dà huā huó há ma

yí gè pàng wá wa　zhuō le gè dà huā huó há ma
一个胖娃娃，捉了个大花活蛤蟆。

dà huā huó há ma yǎo pàng wá wa
大花活蛤蟆咬胖娃娃，

pàng wá wa fàng le dà huā huó há ma
胖娃娃放了大花活蛤蟆。

亲子提示

蛤蟆的学名叫蟾蜍，它能吃害虫，身上的毒汁可以入药。告诉孩子，不要伤害蟾蜍，更不要去抓它，以免毒汁溅进眼睛里，发生危险。

担蛋
dān dàn

dān dān dān dàn　dàn dàn līn dàn
丹丹担担，旦旦拎蛋。

dàn dàn līn de dàn fàng zài dān dān dān de dàn li
旦旦拎的蛋放在丹丹担的担里，

dān dān de dàn li dān zhe dàn dàn līn lái de dàn
丹丹的担里担着旦旦拎来的蛋。

亲子提示

蛋营养丰富，易于人体吸收，而且可以做成炖蛋、茶叶蛋、蛋糕等各式各样的美食。鼓励孩子尝试各种食物，从小养成不挑食、不偏食的好习惯。

·登山·
dēng shān

sān yuè sān　xiǎo sān qù dēng shān
三月三，小三去登山。

shàng shān yòu xià shān　xià shān yòu shàng shān
上山又下山，下山又上山。

dēng le sān cì shān
登了三次山，

pǎo le sān lǐ sān　shī le sān jiàn shān
跑了三里三，湿了三件衫。

xiǎo sān shàng shān dà shēng hǎn
小三上山大声喊：

lí tiān zhǐ yǒu sān chǐ sān
"离天只有三尺三！"

亲子提示

登山运动有利于孩子身体的均衡发展，并能培养其自信心及坚强的性格。平时不妨带着孩子一起去爬爬山，让他多多接触大自然。

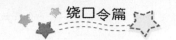
·钉钉板·
dīng dìng bǎn

钉钉板,板钉钉。
dīng dìng bǎn　　bǎn dìng dīng

铁钉钉铁板,
tiě dīng dìng tiě bǎn

铁板钉铁钉。
tiě bǎn dìng tiě dīng

铁钉钉板钉钉板,
tiě dīng dìng bǎn dīng dìng bǎn

铁板钉钉板钉钉。
tiě bǎn dìng dīng bǎn dìng dīng

亲子提示

这则绕口令比较简单,在诵读的过程中,不妨与孩子边玩拍手游戏边学习诵读。让孩子在轻松的游戏中,学会背诵这则绕口令。

鹅过河
é guò hé

pō shang wò zhe yì zhī é
坡上卧着一只鹅，

pō xià liú zhe yì tiáo hé
坡下流着一条河，

kuān kuān de hé　bái bái de é
宽宽的河，白白的鹅。

é guò hé　　hé dù é
鹅过河，河渡鹅。

亲子提示

鸡、鸭、鹅是我们最常见的家禽，它们之间有什么区别呢？让孩子仔细观察，说说它们的相同点和不同之处。

分果果
fēn guǒ guǒ

duō duō hé gē ge　zuò xià fēn guǒ guǒ
多多和哥哥，坐下分果果。

gē ge ràng duō duō　duō duō ràng gē ge
哥哥让多多，多多让哥哥。

dōu shuō yào xiǎo gè　wài pó lè hē hē
都说要小个，外婆乐呵呵。

亲子提示

这则绕口令讲的是两个小朋友互相谦让的事。可以给孩子讲讲"孔融让梨"的故事，让孩子了解，谦让是一种美德。

公公和冬冬
gōng gong hé dōng dōng

楼上住个老公公，
lóu shang zhù gè lǎo gōng gong

楼下住个小冬冬，
lóu xià zhù gè xiǎo dōng dōng

小冬冬认字问公公，
xiǎo dōng dōng rèn zì wèn gōng gong

老公公走路扶冬冬。
lǎo gōng gong zǒu lù fú dōng dōng

冬冬说楼上有个好公公，
dōng dōng shuō lóu shang yǒu gè hǎo gōng gong

公公说楼下有个乖冬冬。
gōng gong shuō lóu xià yǒu gè guāi dōng dōng

亲子提示

家里的附近是不是也有这样年迈的老人？让孩子尝试着去关心这些老人，从生活的点滴做起，做一个尊老爱幼的好孩子。

137

瓜瓜和娃娃

guā guā hé wá wa

jīn guā guā　　yín guā guā
金瓜瓜，银瓜瓜，

guā guā luò xia lai
瓜瓜落下来，

dǎ dào xiǎo wá wa
打到小娃娃。

wá wa jiào mā ma
娃娃叫妈妈，

mā ma bào wá wa
妈妈抱娃娃，

guā guā xiào wá wa
瓜瓜笑娃娃。

亲子提示

在生活中，我们常见的瓜果都有哪些？黄瓜、西瓜、冬瓜、南瓜、香瓜、苦瓜……引导孩子动脑筋想一想：吃过哪些瓜？最喜欢吃的是什么瓜？

瓜换花
guā huàn huā

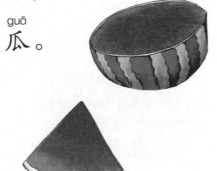

xiǎo huā hé xiǎo huá　yì tóng zhòng zhuāng jia
小花和小华,一同 种 庄 稼。

xiǎo huá zhòng mián hua　xiǎo huā zhòng xī guā
小华种 棉花,小花种西瓜。

xiǎo huá de mián hua kāi le huā
小华的棉花开了花,

xiǎo huā de xī guā jiē le guā
小花的西瓜结了瓜。

xiǎo huā yòng guā huàn le huā
小花用瓜换了花,

xiǎo huá yòng huā huàn le guā
小华用花换了瓜。

亲子提示

不妨跟孩子一起种一棵树或养一盆花,并让孩子记述植物生长的过程。通过这
种简单的活动,培养孩子的耐心和观察力。

·喝汤·
hē tāng

pàng pàng duān le yì wǎn tāng
胖胖端了一碗汤，

hē tāng bù děng tāng liàng liáng
喝汤不等汤晾凉。

tāng tàng tàng pàng pàng
汤烫烫胖胖，

tāng tàng pàng pàng tàng
汤烫胖胖烫，

yào hē tāng děng tāng liàng liáng
要喝汤，等汤晾凉，

qiān wàn bié zháo máng
千万别着忙。

亲子提示

饭前适当喝点热汤，有助于提高食欲。而边吃饭边喝汤对于孩子来说则容易影响对饭菜的咀嚼，会影响消化功能。

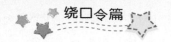

huà　fèng　huáng
·画凤凰·

fěn　hóng qiáng shang huà　fèng huáng　　fèng huáng huà　zài　fěn　hóng qiáng
粉红墙上画凤凰，凤凰画在粉红墙，

hóng fèng huáng　　　huáng fèng huáng　　fěn　hóng fèng huáng huā　fèng huáng
红凤凰、黄凤凰，粉红凤凰花凤凰。

huáng　huā　huáng
·黄花黄·

huáng　huā　　huā huáng huáng　huā huáng　　huā huáng huáng　huā　duǒ　duǒ huáng
黄花花黄黄花黄，花黄黄花朵朵黄，

duǒ　　duǒ huáng　huā　huáng yòu xiāng　　huáng　huā　　huā xiāng xiàng tài　yáng
朵朵黄花黄又香，黄花花香向太阳。

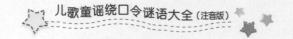

看姥姥
kàn lǎo lao

yǒu gè xiǎo hái jiào qiǎo qiǎo　qiǎo qiǎo gē ge jiào yáo yáo
有个小孩叫巧巧，巧巧哥哥叫摇摇。

yáo yáo huá chuán dài qiǎo qiǎo　qiǎo qiǎo yào qù kàn lǎo lao
摇摇划船带巧巧，巧巧要去看姥姥。

lǎo lao zhàn zài qiáo tóu xiào　huān yíng qiǎo qiǎo hé yáo yáo
姥姥站在桥头笑，欢迎巧巧和摇摇。

亲子提示

找个时间带上孩子一起去老人那里看看，陪老人坐坐，聊聊天。家长的一言一行都将决定孩子今后待人接物的态度。

老虎和灰兔
lǎo hǔ hé huī tù

pō shang yǒu zhī dà lǎo hǔ　　pō xià yǒu zhī xiǎo huī tù
坡上有只大老虎，坡下有只小灰兔；

lǎo hǔ è dù dù　　xiǎng chī huī tù tù
老虎饿肚肚，想吃灰兔兔。

hǔ zhuī tù　tù duǒ hǔ　lǎo hǔ mǎn pō zhǎo huī tù
虎追兔，兔躲虎，老虎满坡找灰兔；

tù zuān wō　hǔ pū tù　cì ér zhā tòng hǔ pì gu
兔钻窝，虎扑兔，刺儿扎痛虎屁股。

qì huài le dà lǎo hǔ　　lè huài le xiǎo huī tù
气坏了大老虎，乐坏了小灰兔。

亲子提示

老虎和猫是不是长得很像？它们之间有什么关系呢？向孩子介绍有关老虎的特性：老虎是最大的猫科动物，被称为"森林之王"。

liǎng gè lǎo dào
·两个老道·

gāo gāo shān shang yǒu zuò miào
高高山上有座庙，

miào li zhù zhe liǎ lǎo dào
庙里住着俩老道，

yí gè lǎo yí gè shào
一个老，一个少。

miào qián zhǎng zhe xǔ duō cǎo
庙前长着许多草，

yǒu shí hòu lǎo lǎo dào jiān yào xiǎo lǎo dào cǎi yào
有时候老老道煎药，小老道采药；

yǒu shí hòu xiǎo lǎo dào jiān yào lǎo lǎo dào cǎi yào
有时候小老道煎药，老老道采药。

亲子提示

告诉孩子，中医是中国传统的医学。中医常使用植物、动物或某些矿物为人治病，非常神奇。

刘小柳和牛大妞

liú xiǎo liǔ hé niú dà niū

lù dōng zǒu lái liú xiǎo liǔ
路东走来刘小柳，

lù xī zǒu lái niú dà niū
路西走来牛大妞。

xiǎo liǔ pěng zhe dà shí liu
小柳捧着大石榴，

dà niū bào zhe xiǎo pí qiú
大妞抱着小皮球。

xiǎo liǔ bǎ shí liu sòng gěi dà niū
小柳把石榴送给大妞，

dà niū bǎ pí qiú sòng gěi xiǎo liǔ
大妞把皮球送给小柳。

亲子提示

石榴生长在哪里？它有什么特点呢？通过学习这则绕口令，告诉孩子石榴是水果的一种。它的营养特别丰富，含有多种人体所需的营养成分。

liù dǒu liù shēng hǎo lǜ dòu
·六斗六升好绿豆·

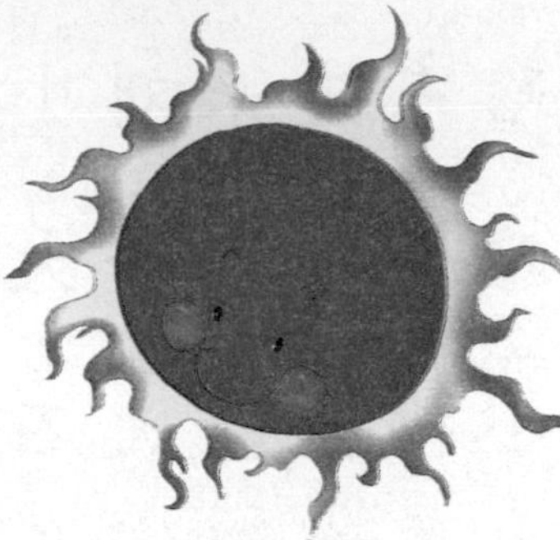

yì chū nán mén zǒu liù bù
一出南门走六步，
yù jiàn liù shū hé liù jiù
遇见六叔和六舅，
hǎo liù shū hǎo liù jiù
好六叔，好六舅，
jiè gěi wǒ liù dǒu liù shēng hǎo lǜ dòu
借给我六斗六升好绿豆，
dào le qiū shōu le dòu
到了秋，收了豆，
zài huán liù shū liù jiù liù dǒu liù shēng hǎo lǜ dòu
再还六叔六舅六斗六升好绿豆。

亲子提示

生活中，常见的豆类食品很多。其中，绿豆不但具有良好的食用价值，还具有一定的药用价值。在炎炎夏日，绿豆汤更是人们最喜欢的消暑饮品。

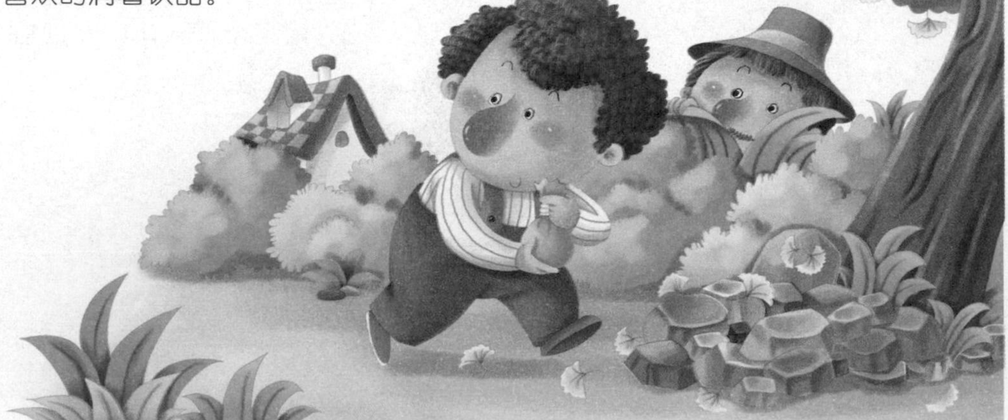

慢表
màn biǎo

biǎo màn　　màn biǎo　　màn biǎo màn bàn miǎo
表慢，慢表，慢表慢半秒。

màn bàn miǎo　　bō bàn miǎo　　bō guò bàn miǎo duō bàn miǎo
慢半秒，拨半秒，拨过半秒多半秒；

duō bàn miǎo　　bō bàn miǎo　　bō guò bàn miǎo shǎo bàn miǎo
多半秒，拨半秒，拨过半秒少半秒。

bō lái bō qù shì màn biǎo
拨来拨去是慢表，

màn biǎo biǎo màn màn bàn miǎo
慢表表慢慢半秒。

亲子提示

珍惜时间就是珍惜生命。父母应该帮助孩子养成合理安排时间的好习惯，让孩子正确认识时间的价值，并培养孩子形成有规律的作息时间。

máo máo hé māo māo
·毛毛和猫猫·

máo máo yǒu yì dǐng lán mào
毛毛有一顶蓝帽，

māo māo yǒu yì shēn huī máo
猫猫有一身灰毛。

máo máo yào māo māo de huī máo
毛毛要猫猫的灰毛，

māo māo yào máo máo de lán mào
猫猫要毛毛的蓝帽。

máo máo bǎ lán mào jiāo gěi māo māo
毛毛把蓝帽交给猫猫，

māo māo gěi máo máo jǐ gēn huī máo
猫猫给毛毛几根灰毛。

亲子提示

有些音节在词句里常常失去原有的声调，变得轻又短，这叫做轻声。一般叠音词的第二个字都读轻音。通过诵读这则绕口令，教会孩子轻音的读法。

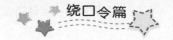

毛毛和涛涛

máo máo hé tāo tāo
毛毛和涛涛，

tiào gāo yòu liàn pǎo
跳高又练跑，

máo máo jiāo tāo tāo liàn pǎo
毛毛教涛涛练跑，

tāo tāo jiāo máo máo tiào gāo
涛涛教毛毛跳高，

máo máo xué huì le tiào gāo
毛毛学会了跳高，

tāo tāo xué huì le liàn pǎo
涛涛学会了练跑。

亲子提示

平时和孩子一起慢跑时，要注意循序渐进。刚开始跑步时应该走跑结合，再逐渐减少走的时间开始慢跑。用合理的方式进行锻炼，可以降低受伤的几率。

妞妞和牛牛

niū niū hé niú niú

妞妞不爱吃肉，不爱吃豆，
niū niū bú ài chī ròu bú ài chī dòu

吃饭发愁，越来越瘦。
chī fàn fā chóu yuè lái yuè shòu

牛牛爱吃肉，爱吃豆，
niú niú ài chī ròu ài chī dòu

吃饭不愁，壮得像牛。
chī fàn bù chóu zhuàng de xiàng niú

你是学妞妞，还是学牛牛？
nǐ shì xué niū niū hái shì xué niú niú

亲子提示

孩子挑食时，家长应及时帮助纠正，既不要纵容，也不要用强制的手段。家长应向孩子说明道理，慢慢纠正孩子挑食的毛病。

盆和瓶

pén hé píng

zhuō shang fàng gè pén　　pén li yǒu gè píng
桌上放个盆，盆里有个瓶，

pēng pēng pā pā　　pā pā pēng pēng
砰砰啪啪，啪啪砰砰，

bù zhī shì píng pèng pén　　hái shì pén pèng píng
不知是瓶碰盆，还是盆碰瓶。

亲子提示

在激发孩子好奇心的同时，也要告诉他什么是有危险的。比如，提醒他玩耍时，不要拉扯桌布，防止不小心掀倒上面的热水壶和水杯，烫伤自己。

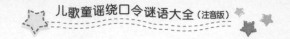

pèng peng chē
·碰碰车·

pèng peng chē　　chē pèng pèng
碰碰车，车碰碰，

zuò zhe péng péng hé píng píng
坐着朋朋和平平。

píng píng kāi chē pèng péng péng
平平开车碰朋朋，

péng péng kāi chē pèng píng píng
朋朋开车碰平平，

bù zhī shì píng píng pèng péng péng
不知是平平碰朋朋，

hái shì péng péng pèng píng píng
还是朋朋碰平平。

亲子提示

碰碰车是如何发动的？它"头顶"的那根线是做什么用的？家长应告诉孩子：碰碰车是靠电力发动起来的，那根线是用来导电的。

青草丛 (qīng cǎo cóng)

qīng cǎo cóng　　cǎo cóng qīng　 qīng qīng cǎo li cǎo qīng chóng
青草丛，草丛青，青青草里草青虫。

qīng chóng zuān jìn qīng cǎo cóng　 qīng cǎo cóng qīng cǎo chóng qīng
青虫钻进青草丛，青草丛青草虫青。

青虫为什么生活在草丛里，它们吃什么？通过这则绕口令，告诉孩子虫子与草木之间的关系以及益虫和害虫间的区别。

肉和豆 (ròu hé dòu)

ròu chǎo dòu　　dòu chǎo ròu　 ròu shì ròu　　dòu shì dòu
肉炒豆，豆炒肉，肉是肉，豆是豆。

ròu chǎo dòu ròu li yǒu dòu　　dòu chǎo ròu dòu li yǒu ròu
肉炒豆肉里有豆，豆炒肉豆里有肉。

亲子提示

蛋白质是人体必需的重要营养成分之一，没有蛋白质就没有生命。蛋白质在食物中的来源十分丰富，肉类和大豆中都含有丰富的蛋白质。

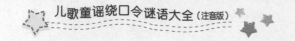

·山冈上·
shān gāng shang

三只牛儿上山冈，山冈上三个牛铃响。
sān zhī niú ér shàng shān gāng　shān gāng shang sān gè niú líng xiǎng

牛铃响，响山冈，山冈上三个铃铛响叮当，
niú líng xiǎng　xiǎng shān gāng　shān gāng shang sān gè líng dang xiǎng dīng dāng

铃铛响山冈。
líng dang xiǎng shān gāng

牛是常见的动物，可以让孩子说说牛有什么特点，说说他知道的乳制品有哪些。

·四和十·
sì hé shí

四是四，十是十，十四是十四，四十是四十。
sì shì sì　shí shì shí　shí sì shì shí sì　sì shí shì sì shí

谁能说准四和十，请来试一试。
shéi néng shuō zhǔn sì hé shí　qǐng lái shì yí shì

在学习这则绕口令的同时，可以让孩子伸出手来，用手势配合句子来做"四"和"十"的游戏，使孩子在愉悦的气氛中掌握平翘舌的发音规律。

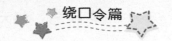

十字路口指示灯
<small>shí zì lù kǒu zhǐ shì dēng</small>

<small>shí zì lù kǒu zhǐ shì dēng</small>
十字路口指示灯,

<small>hóng dēng lǜ dēng fēn de qīng</small>
红灯绿灯分得清,

<small>hóng dēng tíng   lǜ dēng xíng</small>
红灯停,绿灯行,

<small>tíng xíng xíng tíng kàn dēng míng</small>
停行行停看灯明。

<small>bú yào ràng tíng de shí hou xíng</small>
不要让停的时候行,

<small>yě bú yào ràng xíng de shí hou tíng</small>
也不要让行的时候停。

亲子提示

马路上车来车往,过马路时需要注意什么呢?通过学习这则绕口令,向孩子简单地介绍交通规则,并告诉孩子过马路时要走人行横道,注意安全。

数枣
shǔ zǎo

chū dōng mén　　guò dà qiáo　　dà qiáo dǐ xià yí shù zǎo
出东门，过大桥，大桥底下一树枣。

ná zhe gān zi qù dǎ zǎo　　qīng de duō　　hóng de shǎo
拿着竿子去打枣，青的多，红的少。

yí gè zǎo　　liǎng gè zǎo　　sān gè zǎo　　sì gè zǎo　　wǔ gè zǎo
一个枣，两个枣，三个枣，四个枣，五个枣，

liù gè zǎo　　qī gè zǎo　　bā gè zǎo　　jiǔ gè zǎo　　shí gè zǎo
六个枣，七个枣，八个枣，九个枣，十个枣。

shí gè zǎo　　jiǔ gè zǎo　　bā gè zǎo　　qī gè zǎo　　liù gè zǎo
十个枣，九个枣，八个枣，七个枣，六个枣，

wǔ gè zǎo　　sì gè zǎo　　sān gè zǎo　　liǎng gè zǎo　　yí gè zǎo
五个枣，四个枣，三个枣，两个枣，一个枣。

亲子提示

枣子生长在哪里？未成熟时是什么颜色？成熟后又是什么颜色？通过讲解，使孩子知道红枣很有营养，也可以入药。

提灯笼
tí dēng long

xiǎo fèng tí zhe yuán dēng long　xiǎo lóng tí zhe fāng dēng long
小凤提着圆灯笼，小龙提着方灯笼。

xiǎo fèng de yuán dēng long shang huà zhe lóng
小凤的圆灯笼上画着龙，

xiǎo lóng de fāng dēng long shang huà zhe fèng
小龙的方灯笼上画着凤，

xiǎo fèng yào ná yuán lóng dēng long huàn
小凤要拿圆龙灯笼换

xiǎo lóng de fāng fèng dēng long
小龙的方凤灯笼。

亲子提示

每逢佳节，常会看到家家户户挂着各种各样的灯笼。家长可以指导孩子动手做一盏小灯笼，锻炼孩子的动手能力。

婷婷和蜻蜓
tíng tíng hé qīng tíng

qīng cǎo píng　cǎo qīng qīng　qīng cǎo shàng miàn tíng qīng tíng
青草坪，草青青，青草上面停蜻蜓。

xiǎo tíng tíng　ài qīng tíng　qīng tíng bú pà xiǎo tíng tíng
小婷婷，爱蜻蜓，蜻蜓不怕小婷婷。

亲子提示

蜻蜓最引人注目的就是它的那双大眼睛。蜻蜓的眼睛不但大，而且视力非常好。它能够准确地分辨出光线的强弱和颜色，还能看到人眼见不到的紫外线。

推水
tuī shuǐ

hēi hēi hé huī huī　liǎng rén qù tuī shuǐ
黑黑和灰灰，两人去推水。

hēi hēi tuī shuǐ　huī huī bāng hēi hēi
黑黑推水，灰灰帮黑黑，

huī huī tuī shuǐ　hēi hēi bāng huī huī
灰灰推水，黑黑帮灰灰。

亲子提示

让孩子试着用自己的语言说一说：这则绕口令讲了怎样一件事？两个小朋友叫什么名字？你平时帮小朋友做过什么事？

娃娃画画

wá wa huà huà huà huā huā
娃娃画画画花花，

wá wa huà huā huā jiē guā
娃娃画花花结瓜，

huā huā jiē guā gěi wá wa
花花结瓜给娃娃，

wá wa chī guā huà huā huā
娃娃吃瓜画花花。

画画可以训练孩子的想象力、对事物的抽象概括能力以及对色彩的感觉。要鼓励孩子画出自己的想法，家长不应过多干涉。

娃娃挑扁担

xiǎo biǎn dan   sān chǐ sān
小扁担，三尺三，

biǎn dan bù lí jiān   biǎn dan tiāo dàn dàn
扁担不离肩，扁担挑担担，

yì biān yí zuò shān
一边一座山。

什么叫做尺？它大概有多长呢？用形象的方式向孩子解释尺的概念，让孩子初步了解度量单位"尺"、"寸"，并告诉孩子度量单位"米"的概念。

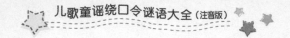

望月空
wàng yuè kōng

wàng yuè kōng　mǎn tiān xīng
望月空，满天星，

guāng shǎn shǎn　liàng jīng jīng
光闪闪，亮晶晶，

hǎo xiàng nà　xiǎo yín dēng
好像那，小银灯，

zǐ xì kàn　kàn fēn míng
仔细看，看分明，

dà dà xiǎo xiǎo　mì mì má má
大大小小，密密麻麻，

shǎn shǎn shuò shuò　shǔ yě shǔ bu qīng
闪闪烁烁，数也数不清。

亲子提示

天上的星星为什么会眨眼睛？原来，地球外有一层厚厚的大气层，由于大气层是流动的，光线的折射程度不同，所以星星看起来就像在眨眼睛。

·雾·

zǎo chén xià dà wù　shān li kàn bu jiàn lù
早晨下大雾，山里看不见路，

jí huài le xiǎo zhū　xiǎo tù hé xiǎo lù
急坏了小猪、小兔和小鹿。

xiǎo tù lǐng xiǎo zhū　xiǎo zhū lā xiǎo lù
小兔领小猪，小猪拉小鹿，

lā zhe téng　fú zhe shù
拉着藤，扶着树，

yí bù yí bù zǒu shān lù
一步一步走山路。

qiū fēng pó po dà kǒu chuī sàn mǎn tiān wù
秋风婆婆大口吹散满天雾。

亲子提示

生活中，我们经常会遇到起雾的天气。
这时，小朋友外出一定要穿上颜色鲜艳
的衣服，这样可以使路人和司
机容易发现你，减少发生危险
的几率。

小蝌蚪找妈妈

xiǎo kē dǒu zhǎo mā ma

xiǎo kē dǒu zhǎo mā ma   zhǎo dào yì zhī dà qīng wā
小蝌蚪，找妈妈，找到一只大青蛙，

qīng wā bù zhī zì jǐ shì bú shì mā ma
青蛙不知自己是不是妈妈，

zhǐ huì jiào zhe guā guā guā
只会叫着呱呱呱。

亲子提示

青蛙是蝌蚪的妈妈吗？为什么它们长得一点儿也不像呢？原来，蝌蚪是青蛙小时候的样子。通过讲解，让孩子知道青蛙是捕捉害虫的能手，大家要保护它。

xiǎo yā xià shuǐ wā

小鸭下水洼

xiǎo yā xià shuǐ wā   shuǐ wā yǒu shuǐ huā
小鸭下水洼，水洼有水花，

xiǎo huā péi xiǎo yā zhuā xiǎo xiā   xiǎo xiā duǒ zhe xiǎo yā zhuā
小花陪小鸭抓小虾，小虾躲着小鸭抓。

亲子提示

让孩子想一想：鸭子和鸡有什么不同？引导孩子从外观、叫声、生活习性等不同方面，说说两者之间的区别。

小牛赔油

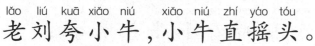

xiǎo niú fàng xué qù dǎ qiú
小牛放学去打球，

tī dǎo lǎo liú yì píng yóu
踢倒老刘一瓶油。

xiǎo niú huí jiā qǔ lái yóu
小牛回家取来油，

xiàng lǎo liú dào qiàn yòu péi yóu
向老刘道歉又赔油。

lǎo liú kuā xiǎo niú　xiǎo niú zhí yáo tóu
老刘夸小牛，小牛直摇头。

nǐ cāi lǎo liú ràng xiǎo niú huán yóu　hái shì bú ràng xiǎo niú huán yóu
你猜老刘让小牛还油，还是不让小牛还油？

孩子做错了事怎么办？在不伤害孩子自尊心的前提下，家长应该对孩子进行教育，让孩子知道做错了事就应该勇于承认，并积极改正。

小秋和小牛

xiǎo qiū hé xiǎo niú

xiǎo niū niū　　jiào xiǎo qiū
小妞妞，叫小秋，

shū zhe liǎng gè xiǎo zhuā jiu
梳着两个小抓鬏，

xiǎo pàng pàng　　jiào xiǎo niú
小胖胖，叫小牛，

chuān zhe yí gè xiǎo dōu dōu
穿着一个小兜兜。

xiǎo qiū bāng zhe xiǎo niú jì kòu kòu
小秋帮着小牛系扣扣，

xiǎo niú bāng xiǎo qiū bāo dòu dòu
小牛帮小秋剥豆豆。

亲子提示

家长应鼓励孩子多交朋友，让孩子多与同龄的伙伴一起玩耍、游戏。家长还可以请孩子的小伙伴到家里来玩，让孩子学会待客的礼仪。

·小鞋子和小茄子·

xiǎo xié zi hé xiǎo qié zi

yé ye mǎi shuāng xié zi
爷爷买双鞋子，

nǎi nai mǎi jīn qié zi
奶奶买斤茄子。

yé ye ài chī nǎi nai shāo de qié zi
爷爷爱吃奶奶烧的茄子，

nǎi nai ài chuān yé ye tiāo de xié zi
奶奶爱穿爷爷挑的鞋子，

yé ye nǎi nai chī wán qié zi shì xié zi
爷爷奶奶吃完茄子试鞋子。

为什么茄子有长长的形状，还有圆圆的形状？原来，它们是不同种类的茄子。茄子的营养十分丰富，经常吃茄子对我们的身体健康大有益处。

·小眼睛和小眼镜·

xiǎo yǎn jing hé xiǎo yǎn jìng

yǎn jing dài yǎn jìng   yǎn jìng zhǎo yǎn jing
眼睛戴眼镜，眼镜找眼睛。

yǎn jing pèi yǎn jìng   bǎo hù hǎo yǎn jing
眼睛配眼镜，保护好眼睛。

患了近视的小朋友，需要配戴合适的眼镜来矫正视力。一般来讲，儿童的眼镜应选用材质较轻的框架，以免影响小朋友的鼻梁发育。

学捏泥
xué niē ní

pán li bǎi zhe yí gè lí
盘里摆着一个梨，

zhuō shang fàng zhe yì tuán ní
桌上放着一团泥。

xiǎo lì yòng ní xué zuò lí
小丽用泥学做梨，

yǎn kàn zhe lí　shǒu niē zhe ní
眼看着梨，手捏着泥，

kàn yí kàn　bǐ yì bǐ　zhēn lí jiǎ lí chà bu lí
看一看，比一比，真梨假梨差不离。

亲子提示

不妨和孩子一起玩玩儿泥巴，做一些造型独特的小玩意儿。捏泥巴不但可以激发孩子的创造性思维，更可以锻炼孩子的动手能力。

·写字·

wāi bó zi　pā zhuō zi　bú shì xiě zì hǎo zī shì
歪脖子，趴桌子，不是写字好姿势，

shí jiān jiǔ le biàn jìn shì　xiě zì shēn zi yào zuò zhí
时间久了变近视。写字身子要坐直，

yǎn jing lí zhǐ shì yì chǐ
眼睛离纸是一尺。

近视是天生的吗？为什么很多人都得了近视呢？其实，引起近视眼的原因，绝大多数都是用眼的不卫生。家长应督促孩子正确用眼，保护视力。

·一面小花鼓·

yí miàn xiǎo huā gǔ　gǔ shang huà lǎo hǔ　xiǎo chuí qiāo pò gǔ
一面小花鼓，鼓上画老虎，小槌敲破鼓，

mā ma yòng bù bǔ　bù zhī shì bù bǔ gǔ
妈妈用布补，不知是布补鼓，

hái shì bù bǔ hǔ
还是布补虎？

中国民间玩具常常有老虎的造型，这是因为在中国人心里，老虎是平安吉祥的象征。小孩子常用的布老虎枕头具有健康、强壮和勇敢的含义。

zhuāng lí
·装梨·

xiǎo lì lì　　 xiǎo lí lí　　 jiào lái mèi mei hé dì di
小丽丽，小黎黎，叫来妹妹和弟弟。

xiǎo zhú lán　　 shǒu zhōng tí　　 tóng dào lí yuán qù zhuāng lí
小竹篮，手中提，同到梨园去装梨。

yī èr sān　　 sān èr yī
一二三，三二一，

yī èr sān sì wǔ liù qī
一二三四五六七。

lán zhuāng lí　　 bǎi zhěng qí
篮装梨，摆整齐，

lì lì lí lí xiào mī mī
丽丽黎黎笑眯眯。

亲子提示

梨是我们常见的水果。它酸甜可口，富含糖、蛋白质、脂肪及多种维生素，对人体健康有重要作用。梨果不但可以食用，也有一定的药用价值。

捉兔
zhuō tù

yǒu gè xiǎo hái jiào xiǎo dù shàng jiē dǎ cù yòu mǎi bù
有个小孩叫小杜，上街打醋又买布。

mǎi le bù dǎ le cù huí tóu kàn jiàn yīng zhuō tù
买了布，打了醋，回头看见鹰捉兔。

fàng xià bù gē xià cù shàng qián qù zhuī yīng hé tù
放下布，搁下醋，上前去追鹰和兔。

fēi le yīng pǎo le tù sǎ le cù shī le bù
飞了鹰，跑了兔，洒了醋，湿了布。

亲子提示

鹰平时住在什么地方？它有什么生活习性？通过这则绕口令，家长可以告诉孩子：鹰是一种吃小动物的大鸟，它们飞行速度快，是捕捉猎物的能手。

嘴和腿

zuǐ hé tuǐ

zuǐ shuō tuǐ　　tuǐ shuō zuǐ
嘴 说 腿 ，腿 说 嘴 。

zuǐ shuō tuǐ　ài pǎo tuǐ　　tuǐ shuō zuǐ　ài mài zuǐ
嘴 说 腿 爱 跑 腿 ，腿 说 嘴 爱 卖 嘴 。

guāng dòng zuǐ　　bú dòng tuǐ
光 动 嘴 ，不 动 腿 ，

bù rú　bù zhǎng tuǐ
不 如 不 长 腿 。

guāng dòng tuǐ　　bú dòng zuǐ　　bù rú　bù zhǎng zuǐ
光 动 腿 ，不 动 嘴 ，不 如 不 长 嘴 。

亲子提示

这则绕口令说的是人不可以光说不练，也不能只埋头干活不与人沟通。通过给孩子讲解这则绕口令，告诉孩子说话与做事的道理。

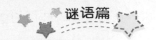
谜语｜001

hú zi suī cháng suì shu xiǎo
胡子虽长岁数小，

chūn xià qiū dōng chuān pí ǎo
春夏秋冬穿皮袄，

màn shān biàn yě chī qīng cǎo
漫山遍野吃青草，

lā de dào chù shì hēi zǎo
拉的到处是黑枣。

打一动物 ▶

谜语｜002

dù pí dà lái wěi ba xiǎo
肚皮大来尾巴小，

hào chī lǎn zuò ài shuì jiào
好吃懒做爱睡觉，

suī rán méi bìng yě hēng hēng
虽然没病也哼哼，

bú rè yě bǎ shàn zi yáo
不热也把扇子摇。

打一动物 ▶

谜语｜003

zuǐ kuò liǎn cháng dà wěi ba
嘴阔脸长大尾巴，

dǎ zhàng lā chē dōu yòng tā
打仗拉车都用它，

tiě bǎn xié diàn guā dā dā
铁板鞋垫呱嗒嗒，

chí chěng qiān lǐ běn lǐng dà
驰骋千里本领大。

打一动物 ▶

谜语｜004

shen shang yì shēn máo
身上一身毛，

tóu shang liǎng gè jiǎo
头上两个角，

huǒ qì zhēn bù xiǎo
火气真不小，

hái huì mōu mōu jiào
还会哞哞叫。

打一动物 ▶

001 谜底：羊

002 谜底：猪

003 谜底：马

004 谜底：牛

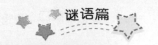
谜语|005

gè zi bù gāo ěr duo cháng
个子不高耳朵长，

sì tí yuán yuán yǒu lì liang
四蹄圆圆有力量，

néng qí néng tuó néng lā chē
能骑能驮能拉车，

xiàng mǎ hé mǎ bù yí yàng
像马和马不一样。

打一动物 ▶

谜语|006

zòng zi tóu méi huā jiǎo
粽子头，梅花脚，

pì gu guà bǎ wān lián dāo
屁股挂把弯镰刀，

kàn jiàn zhǔ rén wěi ba yáo
看见主人尾巴摇，

kàn jiàn shēng rén wāng wāng jiào
看见生人汪汪叫。

打一动物 ▶

谜语|007

ěr duo cháng
耳朵长，

wěi ba duǎn
尾巴短，

zhǐ chī cài
只吃菜，

bù chī fàn
不吃饭。

打一动物 ▶

谜语|008

tóu xiàng mián yáng jǐng sì é
头像绵羊颈似鹅，

bú shì niú mǎ bú shì luó
不是牛马不是骡，

gē bì tān shang wàn lǐ xíng
戈壁滩上万里行，

néng nài kě lái néng rěn è
能耐渴来能忍饿。

打一动物 ▶

173

005 谜底：驴

006 谜底：狗

007 谜底：兔子

008 谜底：骆驼

谜语|009

zuǐ xiàng xiǎo chǎn zi
嘴像小铲子，

jiǎo xiàng xiǎo shàn zi
脚像小扇子，

zǒu lù zuǒ yòu bǎi
走路左右摆，

bú shì bǎi jià zi
不是摆架子。

打一动物 ▶

谜语|010

tóu dài hóng mào zi
头戴红帽子，

shēn chuān bái páo zi
身穿白袍子，

zǒu lù xiàng gōng zǐ
走路像公子，

shuō huà gāo sǎng zi
说话高嗓子。

打一动物 ▶

谜语|011

shēn chuān huā huā yī
身穿花花衣，

qīng zǎo wō wō tí
清早喔喔啼，

hóng huā tóu shang dài
红花头上戴，

cuī rén zǎo zǎo qǐ
催人早早起。

打一动物 ▶

谜语|012

yuǎn kàn huáng dēng dēng
远看黄澄澄，

jìn kàn máo róng róng
近看毛茸茸，

jī jī jī jī jiào
叽叽叽叽叫，

zuì ài chī xiǎo chóng
最爱吃小虫。

打一动物 ▶

009 谜底：鸭子

010 谜底：鹅

011 谜底：公鸡

012 谜底：小鸡

谜语|013

hú zi bù duō liǎng biān qiào
胡子不多两边翘，

kāi kǒu zǒng shì miāo miāo jiào
开口总是喵喵叫，

hēi yè xún luó yǎn sì dēng
黑夜巡逻眼似灯，

liáng cāng chú fáng tā fàng shào
粮仓厨房它放哨。

打一动物 ▶

谜语|014

lǎo jiā zhù zài wān lǐ wān
老家住在弯里弯，

qián mén hòu mén dōu bù guān
前门后门都不关，

zéi tóu zéi nǎo wū li cuàn
贼头贼脑屋里窜，

zuì pà māo mī dào yǎn qián
最怕猫咪到眼前。

打一动物 ▶

谜语|015

xiǎo huò láng
小货郎，

gōu li chuàn
沟里串，

bēi le zhēn
背了针，

wàng le xiàn
忘了线。

打一动物 ▶

谜语|016

shēn xiǎo lì bù xiǎo
身小力不小，

tuán jié yòu qín láo
团结又勤劳，

yǒu shí bān liáng shi
有时搬粮食，

yǒu shí wā dì dào
有时挖地道。

打一动物 ▶

177

013 谜底：猫

014 谜底：老鼠

015 谜底：刺猬

016 谜底：蚂蚁

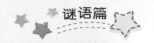
谜语 017

xiǎo chóng chàng gē wēng wēng wēng
小虫唱歌嗡嗡嗡，

fēi lái fēi qù huā cóng zhōng
飞来飞去花丛中，

qín cǎi huā fěn duō niàng mì
勤采花粉多酿蜜，

rén rén kuā tā ài láo dòng
人人夸它爱劳动。

打一动物 ▶

谜语 018

xiǎo fēi jī shā chì bang
小飞机，纱翅膀，

fēi lái fēi qù miè chóng máng
飞来飞去灭虫忙，

dī fēi yǔ gāo fēi qíng
低飞雨，高飞晴，

qì xiàng yù bào tā zuì xíng
气象预报它最行。

打一动物 ▶

谜语 019

yí wèi xiǎo gū niang
一位小姑娘，

shēn chuān huā yī shang
身穿花衣裳，

chūn tiān tàn qīn máng
春天探亲忙，

lái dào bǎi huā zhuāng
来到百花庄。

打一动物 ▶

谜语 020

yuǎn kàn yì kē xīng
远看一颗星，

jìn kàn sì dēng long
近看似灯笼，

dào dǐ shì shén me
到底是什么？

yuán lái shì zhī chóng
原来是只虫。

打一动物 ▶

017 谜底：蜜蜂

018 谜底：蜻蜓

019 谜底：蝴蝶

020 谜底：萤火虫

谜语|021

xiǎo xiǎo yì tóu niú
小小一头牛，

yàng zi xiàng niǔ kòu
样子像纽扣，

bié kàn lì qi xiǎo
别看力气小，

bēi zhe fáng zi zǒu
背着房子走。

打一动物 ▶

谜语|022

shēn tǐ bàn qiú xíng
身体半球形，

bèi shang qī kē xīng
背上七颗星，

mián huā xǐ ài tā
棉花喜爱它，

bǔ chóng zuì zhù míng
捕虫最著名。

打一动物 ▶

谜语|023

xià tiān pá shàng shù shāo
夏天爬上树梢，

xǐ huān dà hǎn dà jiào
喜欢大喊大叫，

bù dǒng qí tā cí jù
不懂其他词句，

zhǐ huì zhī liǎo zhī liǎo
只会"知了知了"。

打一动物 ▶

谜语|024

xiǎo xiǎo zhū gě liàng
小小诸葛亮，

dú zuò jūn zhōng zhàng
独坐军中帐，

bǎi xià bā guà zhèn
摆下八卦阵，

zhuān zhuō fēi lái jiàng
专捉飞来将。

打一动物 ▶

021 谜底：蜗牛

022 谜底：七星瓢虫

023 谜底：蝉

024 谜底：蜘蛛

谜语|025

huā huā lǜ lǜ xiàng tiáo shéng
花花绿绿像条绳，

wān wān qū qū cǎo shang xíng
弯弯曲曲草上行，

tīng jiàn shēng yīn tǔ shé tou
听见声音吐舌头，

juǎn qǐ shēn zi xiàng dà chóng
卷起身子像大虫。

打一动物 ▶

谜语|026

liǎng tóu jiān jiān xiàng mào chǒu
两头尖尖相貌丑，

jiǎo shǒu ěr mù dōu méi yǒu
脚手耳目都没有，

zhěng tiān gōng zuò zài dì xià
整天工作在地下，

yí dào xià yǔ cái lòu tóu
一到下雨才露头。

打一动物 ▶

谜语|027

shēn zi xiàng gè xiǎo dòu hào
身子像个小逗号，

yáo zhe yì tiáo xiǎo wěi ba
摇着一条小尾巴，

cóng xiǎo jiù huì chī jié jué
从小就会吃孓孑，

zhǎng dà chī chóng jiào guā guā
长大吃虫叫呱呱。

打一动物 ▶

谜语|028

liǎng zhī chì bang nán fēi xiáng
两只翅膀难飞翔，

jì zuò yī shang yòu zuò fáng
既做衣裳又做房，

nìng ràng dà shuǐ xiān xià hǎi
宁让大水掀下海，

bú jiào tài yáng shài gān fáng
不叫太阳晒干房。

打一动物 ▶

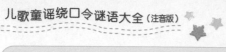

025 谜底：蛇

026 谜底：蚯蚓

027 谜底：蝌蚪

028 谜底：蚌

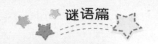

谜语|029

yí wèi yóu yǒng jiā
一位游泳家，

shuō huà guā guā guā
说话呱呱呱，

xiǎo shí méi yǒu jiǎo
小时没有脚，

dà shí méi wěi ba
大时没尾巴。

打一动物 ▶

谜语|030

tóu xiǎo jǐng cháng sì jiǎo duǎn
头小颈长四脚短，

yìng ké ké li bǎ shēn ān
硬壳壳里把身安，

bié kàn dǎn xiǎo yòu pà shì
别看胆小又怕事，

yào lùn shòu mìng dà wú biān
要论寿命大无边。

打一动物 ▶

谜语|031

bā zhī jiǎo tái miàn gǔ
八只脚，抬面鼓，

liǎng bǎ jiǎn dāo gǔ qián wǔ
两把剪刀鼓前舞，

shēng lái héng xíng yòu bà dào
生来横行又霸道，

zuǐ li cháng bǎ pào mò tǔ
嘴里常把泡沫吐。

打一动物 ▶

谜语|032

tuó bèi lǎo gōng gong
驼背老公公，

hú zi máo hōng hōng
胡子毛烘烘，

rè huǒ guō li qù xǐ zǎo
热火锅里去洗澡，

qīng páo huàn chéng dà hóng páo
青袍换成大红袍。

打一动物 ▶

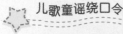

029 谜底：青蛙

030 谜底：乌龟

031 谜底：螃蟹

032 谜底：虾

谜语 | 033

yǒu tóu méi yǒu jǐng
有头没有颈，

shēn shang lěng bīng bīng
身上冷冰冰，

yǒu chì bù néng fēi
有翅不能飞，

wú jiǎo yě néng xíng
无脚也能行。

打一动物 ▶

谜语 | 034

shēn cháng jìn yí zhàng
身长近一丈，

bí zài tóu dǐng shang
鼻在头顶上，

fù bái bèi qīng hēi
腹白背青黑，

ān jiā zài hǎi shang
安家在海上。

打一动物 ▶

谜语 | 035

jiān jiān yá chǐ dà pén zuǐ
尖尖牙齿大盆嘴，

duǎn duǎn tuǐ ér cháng cháng wěi
短短腿儿长长尾，

bǔ zhuō shí wù liú yǎn lèi
捕捉食物流眼泪，

rén rén zhī tā jiǎ cí bēi
人人知它假慈悲。

打一动物 ▶

谜语 | 036

jiào yú bú shì yú
叫鱼不是鱼，

zhōng shēng hǎi li jū
终生海里居，

yuǎn kàn xiàng pēn quán
远看像喷泉，

jìn kàn sì dǎo yǔ
近看似岛屿。

打一动物 ▶

187

033 谜底：鱼

034 谜底：海豚

035 谜底：鳄鱼

036 谜底：鲸鱼

谜语 | 037

shān zhōng yí dài wáng
山中一大王，

huáng páo chuān shēn shang
黄袍穿身上，

suī rán méi bīng jiàng
虽然没兵将，

yì hǒu shéi dōu pà
一吼谁都怕。

打一动物 ▶

谜语 | 038

mǎn tóu cháng fà kuò bù zǒu
满头长发阔步走，

lì dà qì zhuàng sài guò niú
力大气壮赛过牛，

zhāng kāi dà zuǐ yì shēng hǒu
张开大嘴一声吼，

xià de bǎi shòu dōu fā dǒu
吓得百兽都发抖。

打一动物 ▶

谜语 | 039

yí wù mú yàng shēng de guài
一物模样生得怪，

xiōng qián zhǎng gè pí kǒu dai
胸前长个皮口袋，

yào wèn dài li zhuāng de shá
要问袋里装的啥，

lǐ miàn zhuāng zhe xiǎo guāi guāi
里面装着小乖乖。

打一动物 ▶

谜语 | 040

yí gè pàng zi shǎ tóu shǎ nǎo
一个胖子，傻头傻脑，

tiān lěng tiān rè dōu chuān pí ǎo
天冷天热，都穿皮袄，

ài chī fēng mì bú pà fēng yǎo
爱吃蜂蜜，不怕蜂咬。

打一动物 ▶

037 谜底：老虎

038 谜底：狮子

039 谜底：袋鼠

040 谜底：狗熊

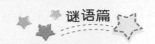

谜语|041

xiàng xióng bǐ xióng xiǎo
像熊比熊小，

xiàng māo bǐ māo dà
像猫比猫大，

zhú zi shì shí liáng
竹子是食粮，

ān jiā mì lín zhōng
安家密林中。

打一动物 ▶

谜语|042

jiān jiān cháng zuǐ
尖尖长嘴，

xì xì xiǎo tuǐ
细细小腿，

tuō tiáo dà wěi
拖条大尾，

yí shén yí guǐ
疑神疑鬼。

打一动物 ▶

谜语|043

tóu shang zhǎng shù chà
头上长树杈，

shēn shang kāi bái huā
身上开白花，

sì tuǐ pǎo de kuài
四腿跑得快，

shéi yě nán zhuī tā
谁也难追它。

打一动物 ▶

谜语|044

zuǐ ba jiān jiān xiàng lǎo shǔ
嘴巴尖尖像老鼠，

yì shēn róng máo wěi ba cū
一身茸毛尾巴粗。

ài zài sēn lín lǐ bian zhù
爱在森林里边住，

ài chī sōng zǐ ài shàng shù
爱吃松子爱上树。

打一动物 ▶

041 谜底：大熊猫

042 谜底：狐狸

043 谜底：梅花鹿

044 谜底：松鼠

谜语 | 045

liǎng ěr xiàng pú shàn
两耳像蒲扇，

shēn zi xiàng xiǎo shān
身子像小山，

bí zi wān yòu cháng
鼻子弯又长，

bǐ shǒu hái néng gàn
比手还能干。

打一动物 ▶

谜语 | 046

yàng zi xiàng diào tǎ
样子像吊塔，

shēn shang bù mǎn huā
身上布满花，

pǎo bù sù dù kuài
跑步速度快，

kě xī bù shuō huà
可惜不说话。

打一动物 ▶

谜语 | 047

shēn tǐ féi tóu ér dà
身体肥，头儿大，

liǎn ér cháng fāng kuān zuǐ ba
脸儿长方宽嘴巴，

míng zi jiào mǎ què méi máo
名字叫马却没毛，

cháng zài shuǐ zhōng dù shēng yá
常在水中度生涯。

打一动物 ▶

谜语 | 048

shàng zhī xià zhī dōu shì shǒu
上肢下肢都是手，

yǒu shí pá lái yǒu shí zǒu
有时爬来有时走，

zǒu shí hěn xiàng yí gè rén
走时很像一个人，

pá shí yòu xiàng yì tiáo gǒu
爬时又像一条狗。

打一动物 ▶

045 谜底：**大象**

046 谜底：**长颈鹿**

047 谜底：**河马**

048 谜底：**猴子**

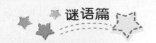

谜语 | 049

xiǎo hēi nīr huì gàn huó
小黑妮儿会干活,

zì gěr diāo ní lái zuò wō
自个儿叼泥来做窝。

jī jī jī chàng qǐ gē
叽叽叽,唱起歌,

fēi lái fēi qù bǎ chóng zhuō
飞来飞去把虫捉。

打一动物 ▶

谜语 | 050

yǒu gè yī shēng jì shù gāo
有个医生技术高,

jiān zuǐ hǎo xiàng shǒu shù dāo
尖嘴好像手术刀,

zhuó kāi shù pí bǎ bìng qiáo
啄开树皮把病瞧,

diāo chū zhù chóng yì tiáo tiáo
叼出蛀虫一条条。

打一动物 ▶

谜语 | 051

tóu dài wáng guān
头戴王冠,

wěi yǒu huā sǎn
尾有花伞,

yí dàn dǎ kāi
一旦打开,

rén rén xǐ huan
人人喜欢。

打一动物 ▶

谜语 | 052

tóu dài hóng yīng mào
头戴红缨帽,

shēn chuān lǜ zhàn páo
身穿绿战袍,

shuō huà yīn qīng cuì
说话音清脆,

shí shí guā guā jiào
时时呱呱叫。

打一动物 ▶

049 谜底：燕子

050 谜底：啄木鸟

051 谜底：孔雀

052 谜底：鹦鹉

谜语|053

yán sè yǒu bái yòu yǒu huī
颜色有白又有灰，

jīng guò xùn yǎng biàn cōng míng
经过驯养变聪明，

kě yǐ dàng zuò lián luò yuán
可以当作联络员，

fān shān yuè lǐng bǎ xìn sòng
翻山越岭把信送。

打一动物 ▶

谜语|054

jiā zhù qīng shān dǐng
家住青山顶，

shēn pī pò suō yī
身披破蓑衣，

cháng zài tiān shang yóu
常在天上游，

ài chī tù hé jī
爱吃兔和鸡。

打一动物 ▶

谜语|055

miàn kǒng xiàng māo
面孔像猫，

qǐ fēi xiàng niǎo
起飞像鸟，

tiān tiān shàng yè bān
天天上夜班，

zhuō shǔ běn lǐng gāo
捉鼠本领高。

打一动物 ▶

谜语|056

qī xī zhǎo zé hé tián tóu
栖息沼泽和田头，

suí zhe jì jié nán běi zǒu
随着季节南北走，

duì liè pái chéng rén zì xíng
队列排成人字形，

jì lǜ zì jué néng zūn shǒu
纪律自觉能遵守。

打一动物 ▶

053 谜底：鸽子

054 谜底：老鹰

055 谜底：猫头鹰

056 谜底：大雁

谜语 | 057

yì zhī niǎo ér zhēn qí guài
一只鸟儿真奇怪，

bú huì fēi lái pǎo de kuài
不会飞来跑得快，

yù shì zǒng bǎ nǎo dai cáng
遇事总把脑袋藏，

què bǎ pì gu lù zài wài
却把屁股露在外。

打一动物 ▶

谜语 | 058

jiào é bú shì é
叫鹅不是鹅，

hǎi dǎo shang shēng huó
海岛上生活，

bīng tiān xuě dì li
冰天雪地里，

wán de zhēn kuài lè
玩得真快乐。

打一动物 ▶

谜语 | 059

hǎi shang yì zhī niǎo
海上一只鸟，

gēn zhe chuán ér pǎo
跟着船儿跑，

xún zhǎo làng zhōng yú
寻找浪中鱼，

bú pà dà fēng bào
不怕大风暴。

打一动物 ▶

谜语 | 060

shēn hēi sì mù tàn
身黑似木炭，

yāo chā liǎng bǎ shàn
腰插两把扇，

wǎng qián zǒu yí bù
往前走一步，

jiù děi shān yì shān
就得扇一扇。

打一动物 ▶

057 谜底：鸵鸟

058 谜底：企鹅

059 谜底：海鸥

060 谜底：乌鸦

谜语|061

shēn chuān lù qún zi
身穿绿裙子，

bái nèn shuǐ líng líng
白嫩水灵灵，

chú fáng cháng cháng jiàn
厨房常常见，

jiā jiā dōu huān yíng
家家都欢迎。

打一蔬菜 ▶

谜语|062

zǐ sè shù kāi zǐ huā
紫色树，开紫花，

kāi wán zǐ huā jiē zǐ guā
开完紫花结紫瓜，

zǐ guā lǐ miàn zhuāng zhī ma
紫瓜里面装芝麻。

打一蔬菜 ▶

谜语|063

hǎo xiàng shì zi méi yǒu gài
好像柿子没有盖，

hǎo xiàng píng guǒ dòu rén ài
好像苹果逗人爱，

wèi dào suān tián yíng yǎng duō
味道酸甜营养多，

néng dàng shuǐ guǒ néng zuò cài
能当水果能做菜。

打一蔬菜 ▶

谜语|064

bú shì cōng bú shì suàn
不是葱，不是蒜，

yì céng yì céng guǒ zǐ duàn
一层一层裹紫缎，

shuō cōng zhǎng de ǎi
说葱长得矮，

xiàng suàn bù fēn bàn
像蒜不分瓣。

打一蔬菜 ▶

061 谜底：白菜

062 谜底：茄子

063 谜底：番茄

064 谜底：洋葱

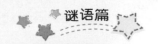

谜语|065

yàng zi xiàng qīng cǎo
样子像青草，

xiǎng chī gē jǐ dāo
想吃割几刀，

jīn tiān gē yì chá
今天割一茬，

jǐ tiān yòu zhǎng gāo
几天又长高。

打一蔬菜 ▶

谜语|066

dì xiōng qī bā gè
弟兄七八个，

wéi zhe zhù zi zuò
围着柱子坐，

zhǐ yào yì fēn kāi
只要一分开，

yī fu jiù chě pò
衣服就扯破。

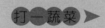

打一蔬菜 ▶

谜语|067

hóng kǒu dai
红口袋，

lǜ kǒu dai
绿口袋，

yǒu rén pà
有人怕，

yǒu rén ài
有人爱。

打一蔬菜 ▶

谜语|068

hóng gōng jī   lǜ wěi ba
红公鸡，绿尾巴，

shēn zi zuān zài ní dǐ xia
身子钻在泥底下，

yào xiǎng zhuō zhù tā
要想捉住它，

jiū zhù wěi ba yòng lì bá
揪住尾巴用力拔。

打一蔬菜 ▶

065 谜底：韭菜

066 谜底：大蒜

067 谜底：辣椒

068 谜底：胡萝卜

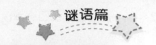

谜语 069

shēn cái shòu cháng
身材瘦长，

biàn tǐ shēng chuāng
遍体生疮，

cháng chuān lǜ yī
常穿绿衣，

piān piān xìng huáng
偏偏姓黄。

打一蔬菜 ▶

谜语 070

shēng gēn bú luò dì
生根不落地，

yǒu yè bù kāi huā
有叶不开花，

tā shì pán zhōng cài
它是盘中菜，

tǔ li bú zhòng tā
土里不种它。

打一蔬菜 ▶

谜语 071

qīng pí bāo bái ròu
青皮包白肉，

xiàng gè dà zhěn tou
像个大枕头，

mò tīng míng zi lěng
莫听名字冷，

rè tiān cài chǎng yǒu
热天菜场有。

打一蔬菜 ▶

谜语 072

hóng gěng lǜ yè kāi huáng huā
红梗绿叶开黄花，

pá shān guò lǐng lái ān jiā
爬山过岭来安家。

jīng guò rì shài hé yǔ lín
经过日晒和雨淋，

bào shàng dà pàng huáng wá wa
抱上大胖黄娃娃

打一蔬菜 ▶

069 谜底：黄瓜

070 谜底：豆芽

071 谜底：冬瓜

072 谜底：南瓜

谜语 073

xiǎo sǎn yì bǎ bǎ
小伞一把把，

zhǎng zài shù lín zhōng
长在树林中，

yào shì chēng kai lai
要是撑开来，

zài yě nán shōu lǒng
再也难收拢。

打一食用菌 ▶

谜语 074

ní li yì tiáo lóng
泥里一条龙，

tóu dǐng yí gè péng
头顶一个篷，

shēn tǐ yì jié jié
身体一节节，

mǎn dù xiǎo kū long
满肚小窟窿。

打一蔬菜 ▶

谜语 075

shuǐ shang shēng gè líng
水上生个铃，

yáo yáo méi yǒu shēng
摇摇没有声，

zǐ xì qiáo yì qiáo
仔细瞧一瞧，

mǎn liǎn dà yǎn jing
满脸大眼睛。

打一植物 ▶

谜语 076

dōng tiān yòu miáo xià chéng shú
冬天幼苗夏成熟，

tāo tāo hǎi shuǐ shì huó tǔ
滔滔海水是活土，

gēn fú shuǐ miàn suí làng huàng
根浮水面随浪晃，

shēn qián shuǐ zhōng màn qǐ wǔ
身潜水中漫起舞。

打一植物 ▶

073 谜底：蘑菇

074 谜底：藕

075 谜底：莲蓬

076 谜底：海带

谜语 077

qīng qīng shé ér mǎn dì pá
青青蛇儿满地爬，

shé ér biàn shēn kāi bái huā
蛇儿遍身开白花，

guā ér cháng cháng róng máo shēng
瓜儿长长茸毛生，

lǎo jūn zhuāng yào yào yòng tā
老君装药要用它。

打一植物 ▶

谜语 078

tóu dài jiān jiān mào
头戴尖尖帽，

shēn chuān jié jié yī
身穿节节衣，

nián nián èr sān yuè
年年二三月，

chū tǔ xiào xī xī
出土笑嘻嘻。

打一植物 ▶

谜语 079

shēn shang yǒu jié bú shì zhú
身上有节不是竹，

cū de néng yǒu chú bàr cū
粗的能有锄把儿粗，

xiǎo hái zhuā zhù kěn bu gòu
小孩抓住啃不够，

lǎo rén méi yá gān jiào kǔ
老人没牙干叫苦。

打一植物 ▶

谜语 080

ké ér yìng ké ér cuì
壳儿硬，壳儿脆，

sì gè jiě mèi gé qiáng shuì
四个姐妹隔墙睡，

cóng xiǎo dào dà bèi kào bèi
从小到大背靠背，

gài zhe yì chuáng gē da bèi
盖着一床疙瘩被。

打一干果 ▶

077 谜底：葫芦

078 谜底：竹笋

079 谜底：甘蔗

080 谜底：核桃

谜语 081

má wū zi
麻屋子，

hóng zhàng zi
红帐子，

lǐ miàn shuì gè bái pàng zi
里面睡个白胖子。

打一农作物 ▶

谜语 082

yǒu gè ǎi jiāng jūn
有个矮将军，

shēn shang guà mǎn dāo
身上挂满刀，

dāo qiào wài zhǎng máo
刀鞘外长毛，

lǐ miàn cáng bǎo bao
里面藏宝宝。

打一农作物 ▶

谜语 083

qù nián qiū tiān sǎ xià zhǒng
去年秋天撒下种，

zhǎng chū lǜ miáo guò yì dōng
长出绿苗过一冬。

kāi chūn tā hái jiē zhe zhǎng
开春它还接着长，

děng dào xià tiān huáng dēng dēng
等到夏天黄澄澄。

打一农作物 ▶

谜语 084

chūn chuān lǜ yī qiū huáng páo
春穿绿衣秋黄袍，

tóu ér wān wān chuí zhū bǎo
头儿弯弯垂珠宝，

cóng yòu dào lǎo nán lí shuǐ
从幼到老难离水，

bù xǐ zǎo lái zhǐ pào jiǎo
不洗澡来只泡脚。

打一农作物 ▶

211

081 谜底：花生

082 谜底：大豆

083 谜底：小麦

084 谜底：水稻

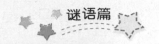

谜语|085

qí guài qí guài zhēn qí guài
奇怪奇怪真奇怪，

tóu dǐng zhǎng chū hú zi lái
头顶长出胡子来，

jiě kāi yī fu kàn yí kàn
解开衣服看一看，

kē kē zhēn zhū lù chu lai
颗颗珍珠露出来。

打一农作物 ▶

谜语|086

zǐ hóng téng
紫红藤，

dì shang pá
地上爬，

téng shang zhǎng lǜ yè
藤上长绿叶，

dì xià jiē hóng guā
地下结红瓜。

打一农作物 ▶

谜语|087

shēn zi zhǎng de xì yòu gāo
身子长得细又高，

shòu cháng shēn jié bù zhǎng máo
瘦长身节不长毛，

xià shēn chuān tiáo lǜ chóu kù
下身穿条绿绸裤，

tóu dài zhēn zhū hóng róng mào
头戴珍珠红绒帽。

打一农作物 ▶

谜语|088

kāi huáng huā
开黄花，

jiē lǜ táo
结绿桃，

táo zi shú le tǔ bái máo
桃子熟了吐白毛。

打一农作物 ▶

085 谜底：玉米

086 谜底：红薯

087 谜底：高粱

088 谜底：棉花

谜语|089

huáng jīn bù
黄金布，

bāo yín tiáo
包银条，

zhōng jiān wān wān liǎng tóu qiào
中间弯弯两头翘。

打一水果 ▶

谜语|090

hóng hóng liǎn
红红脸，

yuán yòu yuán
圆又圆，

qīn yì kǒu
亲一口，

cuì yòu tián
脆又甜。

打一水果 ▶

谜语|091

xiǎo xiǎo jīn tán zi
小小金坛子，

zhuāng zhe jīn jiǎo zi
装着金饺子，

chī diào jīn jiǎo zi
吃掉金饺子，

tǔ chū bái zhū zi
吐出白珠子。

打一水果 ▶

谜语|092

shēn chuān lǜ yī shang
身穿绿衣裳，

dù li shuǐ wāng wāng
肚里水汪汪，

shēng de wá wa duō
生的娃娃多，

gè gè hēi liǎn táng
个个黑脸膛。

打一水果 ▶

089 谜底：香蕉

090 谜底：苹果

091 谜底：橘子

092 谜底：西瓜

谜语|093

wān wān shù
弯弯树，

wān wān téng
弯弯藤，

téng shang guà gè shuǐ jīng líng
藤上挂个水晶铃。

打一水果 ▶

谜语|094

pàng wá wa méi shǒu jiǎo
胖娃娃，没手脚，

hóng jiān zuǐ yì shēn máo
红尖嘴，一身毛，

bèi shang yí dào gōu
背上一道沟，

dù li hǎo wèi dào
肚里好味道。

打一水果 ▶

谜语|095

pī zhe yú lín kǎi jiǎ
披着鱼鳞铠甲，

zhǎng zhe gōng jī wěi ba
长着公鸡尾巴，

dòng wù jiā zú wú míng
动物家族无名，

shuǐ guǒ diàn li yǒu tā
水果店里有它。

打一水果 ▶

谜语|096

qiān zǐ mèi
千姊妹，

wàn zǐ mèi
万姊妹，

tóng chuáng shuì
同床睡，

gè gài bèi
各盖被。

打一水果 ▶

093 谜底：葡萄

094 谜底：桃子

095 谜底：菠萝

096 谜底：石榴

谜语|097

tuō le hóng páo zi
脱了红袍子，

shì gè bái pàng zi
是个白胖子，

chī le bái pàng zi
吃了白胖子，

shèng xià hēi xiǎo zi
剩下黑小子。

打一水果 ▶

谜语|098

tóu xiǎo dù zi dà
头小肚子大，

shēn chuān huáng qīng guà
身穿黄青褂，

yàng zi xiàng dēng pào
样子像灯泡，

néng chī bù néng zhào
能吃不能照。

打一水果 ▶

谜语|099

yuán yuán chéng guàn guànr
圆圆橙罐罐儿，

kòu zhe yuán gài gàir
扣着圆盖盖儿，

tián tián de mì shuǐr
甜甜的蜜水儿，

mǎn mǎn chéng yí guànr
满满盛一罐儿。

打一水果 ▶

谜语|100

hǎi nán bǎo dǎo shì wǒ jiā
海南宝岛是我家，

bú pà fēng chuī hé yǔ dǎ
不怕风吹和雨打，

sì jì mián yī bù lí shēn
四季棉衣不离身，

dù li yǒu ròu yòu yǒu shuǐ
肚里有肉又有水。

打一水果 ▶

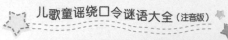

097 谜底：荔枝

098 谜底：梨

099 谜底：柿子

100 谜底：椰子

谜语 | 101

tǐ yuán sì qiú
体圆似球，

sè hóng rú xiě
色红如血，

pí liàng rú zhū
皮亮如珠，

zhī tián sài mì
汁甜赛蜜。

打一水果 ▶

谜语 | 102

qīng shù jiē qīng guā
青树结青瓜，

qīng guā bāo mián huā
青瓜包棉花，

mián huā bāo shū zi
棉花包梳子，

shū zi bāo dòu yá
梳子包豆芽。

打一水果 ▶

谜语 | 103

yì kē mǎ nǎo yuán liū liū
一颗玛瑙圆溜溜，

hún shēn zhǎng zhe gē da qiú
浑身长着疙瘩球，

bù néng yòng lái zhǐ néng chī
不能用来只能吃，

yì kǒu yǎo de xiě zhí liú
一口咬得血直流。

打一水果 ▶

谜语 | 104

xiǎo cì wei   máo wài tào
小刺猬，毛外套，

tuō le wài tào lù zǐ páo
脱了外套露紫袍，

páo li tào zhe hóng róng ǎo
袍里套着红绒袄，

ǎo li shuì gè xiǎo bǎo bao
袄里睡个小宝宝。

打一干果 ▶

101 谜底：樱桃

102 谜底：柚子

103 谜底：杨梅

104 谜底：栗子

谜语 | 105

xiǎo xiǎo huā ér pá lí ba
小小花儿爬篱笆，

zhāng kāi zuǐ ba bù shuō huà
张开嘴巴不说话，

hóng zǐ bái lán yàng yàng yǒu
红紫白蓝样样有，

gè gè dōu xiàng xiǎo lǎ ba
个个都像小喇叭。

打一植物 ▶

谜语 | 106

shēn tǐ cháng yòu cháng
身体长又长，

kāi huā huáng yòu huáng
开花黄又黄，

liǎn dànr xiàng tài yáng
脸蛋儿像太阳，

zhǒng zi xiāng yòu xiāng
种子香又香。

打一植物 ▶

谜语 | 107

xiān kāi huā hòu zhǎng yè
先开花，后长叶，

huā ér hǎo xiàng jīn lǎ ba
花儿好像金喇叭，

jīn lǎ ba dī dī dā
金喇叭，嘀嘀嗒，

chuī de bīng xuě quán róng huà
吹得冰雪全融化。

打一植物 ▶

谜语 | 108

yí gè xiǎo gū niang
一个小姑娘，

shēng zài shuǐ zhōng yāng
生在水中央，

shēn chuān fěn hóng shān
身穿粉红衫，

zuò zài lù chuán shang
坐在绿船上。

打一植物 ▶

105 谜底：牵牛花

106 谜底：向日葵

107 谜底：迎春花

108 谜底：荷花

谜语 | 109

sì jì lù
四季绿，

bù kāi huā
不开花，

yì zhī shǒu
一只手，

bǎ zhēn zhā
把针扎。

打一植物 ▶

谜语 | 110

bàn ér wān wān xiàng juǎn fà
瓣儿弯弯像卷发，

hán fēng lěng yǔ tā bú pà
寒风冷雨它不怕，

bǎi huā diāo xiè tā kāi huā
百花凋谢它开花，

zhōng qiū shí jié dào wàn jiā
中秋时节到万家。

打一植物 ▶

谜语 | 111

xiǎo xiǎo sǎn bīng suí fēng fēi
小小伞兵随风飞，

fēi dào dōng lái fēi dào xī
飞到东来飞到西，

jiàng luò lù biān tián yě li
降落路边田野里，

ān jiā luò hù zhā gēn jī
安家落户扎根基。

打一植物 ▶

谜语 | 112

yǒu zhǒng huā tǐng qí guài
有种花，挺奇怪，

jiù yí bàn fēn bu kāi
就一瓣，分不开，

yào wèn tā zhǎng shá yàng
要问它，长啥样，

xiàng jī guān tóu shang dài
像鸡冠，头上戴。

打一植物 ▶

109 谜底：仙人掌

110 谜底：菊花

111 谜底：蒲公英

112 谜底：鸡冠花

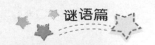

谜语│113

yā chà duì yā chà
丫杈对丫杈，

yǒu yè bù kāi huā
有叶不开花，

wú zǐ diào xià dì
无籽掉下地，

féng chūn huì chōu yá
逢春会抽芽。

打一植物 ▶

谜语│114

tóu shang qīng sī fà
头上青丝发，

shēn pī yú lín jiǎ
身披鱼鳞甲，

hán dōng yè bú luò
寒冬叶不落，

kuáng fēng chuī bu kuǎ
狂风吹不垮。

打一植物 ▶

谜语│115

tiān nán dì běi dōu néng zhù
天南地北都能住，

chūn fēng gěi wǒ bǎ biàn shū
春风给我把辫梳，

xī pàn hú páng dā liáng péng
溪畔湖旁搭凉棚，

néng sǎ xuě huā dāng kōng wǔ
能撒雪花当空舞。

打一植物 ▶

谜语│116

yǒu yè bù kāi huā
有叶不开花，

kāi huā bú jiàn yè
开花不见叶，

huā kāi bǎi huā qián
花开百花前，

piāo xiāng ào fēng xuě
飘香傲风雪。

打一植物 ▶

227

113 谜底：竹子

114 谜底：松树

115 谜底：柳树

116 谜底：梅花

谜语 | 117

wǒ de shēn tǐ xì yòu cháng
我的身体细又长，

tóu zhǎng bái máo shēn shang guāng
头长白毛身上光。

cóng lái jiù ài jiǎng wèi shēng
从来就爱讲卫生，

tiān tiān zuǐ li zǒu liǎng tàng
天天嘴里走两趟。

打一生活用品 ▶

谜语 | 118

yuán tǒng bái jiàng hú
圆筒白糨糊，

zǎo wǎn jǐ yì gǔ
早晚挤一股，

xiōng dì sān shí èr
兄弟三十二，

dōu shuō yǒu hǎo chù
都说有好处。

打一生活用品 ▶

谜语 | 119

kàn kàn xiàng kuài gāo
看看像块糕，

bù néng yòng zuǐ yǎo
不能用嘴咬，

xǐ xǐ yī fu xǐ xǐ shǒu
洗洗衣服洗洗手，

shēng chū hǎo duō bái pào pao
生出好多白泡泡。

打一生活用品 ▶

谜语 | 120

shēn zi wān wān xiàng yuè yá
身子弯弯像月牙，

méi yǒu zuǐ ba guāng zhǎng yá
没有嘴巴光长牙，

nǐ yào wèn tā yǒu shá yòng
你要问它有啥用，

tiān tiān qīng zǎo tóu shang pá
天天清早头上爬。

打一生活用品 ▶

117 谜底：牙刷

118 谜底：牙膏

119 谜底：肥皂

120 谜底：梳子

谜语 121

hún shēn dōu shì máo
浑身都是毛，

cháng zài shuǐ zhōng pào
常在水中泡，

hé nǐ cháng tiē liǎn
和你常贴脸，

tiān tiān lí bu liǎo
天天离不了。

打一生活用品 ▶

谜语 122

píng yòu píng
平又平，

liàng yòu liàng
亮又亮，

shéi lái kàn tā
谁来看它，

gēn shéi yí yàng
跟谁一样。

打一生活用品 ▶

谜语 123

sì sì fāng fāng yí kuài bù
四四方方一块布，

zuǐ hé bí zi dōu gài zhù
嘴和鼻子都盖住，

liǎng gēn dài zi ěr shang guà
两根带子耳上挂，

bú pà fēng shā bú pà tǔ
不怕风沙不怕土。

打一生活用品 ▶

谜语 124

yì zhī xiǎo tiě gǒu
一只小铁狗，

zhuān yǎo jiǎo hé shǒu
专咬脚和手，

nǐ yào jiǎng wèi shēng
你要讲卫生，

tā shì hǎo péng you
它是好朋友。

打一生活用品 ▶

121 谜底：毛巾

122 谜底：镜子

123 谜底：口罩

124 谜底：指甲剪

谜语|125

yòu yuán yòu biǎn dù li kōng
又圆又扁肚里空，

huó dòng jìng zi zài dāng zhōng
活动镜子在当中，

dà rén xiǎo hái dōu ài tā
大人小孩都爱它，

měi tiān xiàng tā jū gè gōng
每天向它鞠个躬。

打一生活用品 ▶

谜语|126

liǎng jiǎo wān wān xì yòu cháng
两脚弯弯细又长，

yì zhāng zuǐ ba míng huǎng huǎng
一张嘴巴明晃晃，

bù chī mǐ miàn bù chī cài
不吃米面不吃菜，

zhuān chī bù pǐ hé zhǐ zhāng
专吃布匹和纸张。

打一生活用品 ▶

谜语|127

yí wù sān gè kǒu
一物三个口，

rén rén bì xū yǒu
人人必须有，

ruò shì méi yǒu tā
若是没有它，

kěn dìng yào chū chǒu
肯定要出丑。

打一衣物 ▶

谜语|128

liǎng gēn xiǎo tiě guǐ
两根小铁轨，

zhuāng zài yī fu shang
装在衣服上，

xiǎo chē dū dū kāi
小车嘟嘟开，

shēn shang yí dào guāng
身上一道光。

打一生活用品 ▶

125 谜底：脸盆

126 谜底：剪刀

127 谜底：裤子

128 谜底：拉链

谜语 | 129

yǒu miàn méi yǒu kǒu
有面没有口，

yǒu jiǎo méi yǒu shǒu
有脚没有手，

suī yǒu sì zhī jiǎo
虽有四只脚，

zì jǐ bú huì zǒu
自己不会走。

打一家具 ▶

谜语 | 130

dà wǎn zhǎng zhe liǎ ěr duo
大碗长着俩耳朵，

bǐ wǎn chéng de duō de duō
比碗盛得多得多，

bú pà shuǐ bú pà huǒ
不怕水，不怕火，

ài zài lú tái shàng miàn zuò
爱在炉台上面坐。

打一生活用品 ▶

谜语 | 131

yí gè xiǎo ér láng
一个小儿郎，

měi tiān zhàn zhuō shang
每天站桌上。

dù li gǔn gǔn rè
肚里滚滚热，

dù pí bīng bīng liáng
肚皮冰冰凉。

打一生活用品 ▶

谜语 | 132

gè zi bù suàn dà
个子不算大，

bāng zhe rén kān jiā
帮着人看家，

shēn zi yòng tiě dǎ
身子用铁打，

ān quán dōu kào tā
安全都靠它。

打一生活用品 ▶

129 谜底：桌子

130 谜底：锅

131 谜底：暖水瓶

132 谜底：锁

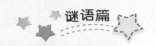

谜语 | 133

bǐ zhí yì tiáo hé
笔直一条河，

fēng chuī bù qǐ bō
风吹不起波，

lěng rè yǒu biàn huà
冷热有变化，

shuǐ miàn yǒu zhǎng luò
水面有涨落。

打一测量仪器 ▶

谜语 | 134

bú pà shēn shang zāng
不怕身上脏，

qiáng jiǎo bǎ shēn cáng
墙角把身藏，

chū lai zǒu yì zǒu
出来走一走，

dì miàn guāng yòu guāng
地面光又光。

打一生活用品 ▶

谜语 | 135

yì zhī wú jiǎo jī
一只无脚鸡，

cháng zài zhuō shang lì
常在桌上立，

hē shuǐ bù chī mǐ
喝水不吃米，

kè lái jìng gè lǐ
客来敬个礼。

打一生活用品 ▶

谜语 | 136

cháng bó zi xiǎo xiǎo kǒu
长脖子，小小口，

yí dù qīng shuǐ zuò gāo lóu
一肚清水坐高楼，

shǔ tā ài dǎ ban
数它爱打扮，

hóng lǜ chā mǎn tóu
红绿插满头。

打一生活用品 ▶

133 谜底：温度计

134 谜底：扫帚

135 谜底：茶壶

136 谜底：花瓶

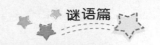

谜语|137

xiǎo fáng zi li
小房子里，

zhù mǎn dì di
住满弟弟，

cā pò tóu pí
擦破头皮，

lì kè huǒ qǐ
立刻火起。

打一生活用品 ▶

谜语|138

xīn xì rú xiàn
心细如线，

xiōng huái dà zhì
胸怀大志，

rán jìn zì jǐ
燃尽自己，

zhào liàng bié rén
照亮别人。

打一生活用品 ▶

谜语|139

yì duǒ huā
一朵花，

bú yòng zāi
不用栽，

xià yǔ tiān
下雨天，

shǒu zhōng kāi
手中开。

打一生活用品 ▶

谜语|140

yì pǐ mǎ ér sān tiáo tuǐ
一匹马儿三条腿，

rì yè bēn zǒu bù tíng xī
日夜奔走不停息，

mǎ tí dā dā tí xǐng nǐ
马蹄嗒嗒提醒你，

zhēn xī shí jiān mò làng fèi
珍惜时间莫浪费。

打一生活用品 ▶

137 谜底：火柴

138 谜底：蜡烛

139 谜底：雨伞

140 谜底：钟表

谜语│141

bó zi cháng cháng
脖子长长，

zhǐ zuò zhuō shang
只坐桌上。

bái tiān bù qǐ chuáng
白天不起床，

wǎn shang tā cái liàng
晚上它才亮。

打一生活用品 ▶

谜语│142

mén shang zhàn gǎng
门上站岗，

bù shēng bù xiǎng
不声不响。

pèng dào lái rén
碰到来人，

dà chǎo dà rǎng
大吵大嚷。

打一生活用品 ▶

谜语│143

yǒu fēng jiù bú dòng
有风就不动，

yí dòng jiù yǒu fēng
一动就有风。

nǐ yào tā bú dòng
你要它不动，

děng dào qǐ qiū fēng
等到起秋风。

打一生活用品 ▶

谜语│144

shēn tǐ xì cháng
身体细长，

xiōng dì chéng shuāng
兄弟成双，

guāng ài chī cài
光爱吃菜，

bú ài hē tāng
不爱喝汤。

打一生活用品 ▶

141 谜底：台灯

142 谜底：门铃

143 谜底：扇子

144 谜底：筷子

谜语 | 145

xiǎo tiě zhù dǎnr bù xiǎo
小铁柱胆儿不小，

tóu dài bō li píng dǐng mào
头戴玻璃平顶帽。

yì zhī yǎn jing liàng shǎn shǎn
一只眼睛亮闪闪，

nǎ lǐ hēi wǎng nǎ lǐ qiáo
哪里黑往哪里瞧。

打一生活用品 ▶

谜语 | 146

yòu yuán yòu liàng
又圆又亮，

zuǒ yòu yí yàng
左右一样，

jiǎo dēng liǎng ěr
脚蹬两耳，

yāo kuà bí liáng
腰跨鼻梁。

打一生活用品 ▶

谜语 | 147

yí wù shēng de qiǎo
一物生得巧，

dì wèi bǐ rén gāo
地位比人高，

bái tiān yí dù máo
白天一肚毛，

yè li kōng dù áo
夜里空肚熬。

打一生活用品 ▶

谜语 | 148

wǔ zhǐ jiān jiān dù zi kōng
五指尖尖肚子空，

yǒu pí wú gǔ ài guò dōng
有皮无骨爱过冬，

bú pà hán lěng bú pà fēng
不怕寒冷不怕风，

shí dōng là yuè chēng yīng xióng
十冬腊月逞英雄。

打一生活用品 ▶

243

145 谜底：手电筒

146 谜底：眼镜

147 谜底：帽子

148 谜底：手套

谜语|149

xī qí gǔ guài liǎng zhī chuán
稀奇古怪两只船，

méi yǒu jiǎng lái méi yǒu fān
没有桨来没有帆。

bái tiān zài rén sì chù zǒu
白天载人四处走，

yè wǎn héng wò zài chuáng qián
夜晚横卧在床前。

打一服饰 ▶

谜语|150

yí hù jǐ kǒu rén
一户几口人，

gè yǒu gè de mén
各有各的门，

shéi yào jìn cuò mén
谁要进错门，

jiù huì xiào sǐ rén
就会笑死人。

打一生活用品 ▶

谜语|151

huán rào yù zhù yì tiáo lóng
环绕玉柱一条龙，

bīng tiān xuě dì bú pà fēng
冰天雪地不怕风，

dōng tiān dào lái rén rén ài
冬天到来人人爱，

tiān nuǎn yǐ hòu wú yǐng zōng
天暖以后无影踪。

打一服饰 ▶

谜语|152

yí gè dà cǎo bāo
一个大草包，

wài chuān xiù huā páo
外穿绣花袍，

ài zài chuáng shang wò
爱在床上卧，

cóng bú xià dì pǎo
从不下地跑。

打一生活用品 ▶

149 谜底：鞋子

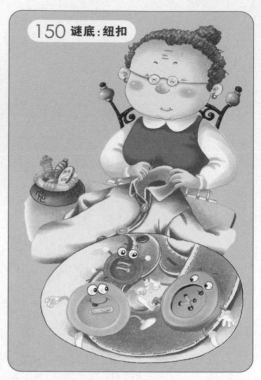

150 谜底：纽扣

151 谜底：围巾

152 谜底：枕头

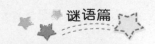
谜语 | 153

bèi shang hái yǒu yí gè bèi
背上还有一个背，

tuǐ biān hái yǒu sì tiáo tuǐ
腿边还有四条腿，

zǒu lù shuì jiào yòng bu zháo
走路睡觉用不着，

kàn shū xiě zì yào tā péi
看书写字要它陪。

打一生活用品 ▶

谜语 | 154

rén tuō yī fu
人脱衣服，

tā chuān yī fu
它穿衣服，

rén tuō mào zi
人脱帽子，

tā dài mào zi
它戴帽子。

打一生活用品 ▶

谜语 | 155

xiǎo xiǎo mù fáng zhàn lù páng
小小木房站路旁，

liǎng biān kāi zhe huó mén chuāng
两边开着活门窗。

yào shǐ jiē dào biàn gān jìng
要使街道变干净，

guǒ pí zhǐ xiè wǎng lǐ zhuāng
果皮纸屑往里装。

打一公共设施 ▶

谜语 | 156

méi yǎn yǒu yǎn lì
没眼有眼力，

bù wèn dōng hé xī
不问东和西，

dài tā zǒu sì hǎi
带它走四海，

fāng xiàng yǒng qīng xī
方向永清晰。

打一简单仪器 ▶

153 谜底：椅子

154 谜底：衣帽架

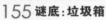

155 谜底：垃圾箱

156 谜底：指南针

谜语 | 157

yí gè xiǎo wǎn wěi ba cháng
一个小碗尾巴长，

néng chéng fàn cài néng chéng tāng
能盛饭菜能盛汤。

chéng shàng yòu dào le
盛上又倒了，

dào le zài chéng shàng
倒了再盛上。

打一生活用品 ▶

谜语 | 158

yí yàng dōng xi liàng jīng jīng
一样东西亮晶晶，

yòu guāng yòu yìng yòu tòu míng
又光又硬又透明，

gōng rén shū shu zào chu lai
工人叔叔造出来，

tā de yòng chù shǔ bu qīng
它的用处数不清。

打一物品 ▶

谜语 | 159

shēn xì tóu jiān bí zi dà
身细头尖鼻子大，

yì gēn xiàn ér shuān zhù tā
一根线儿拴住它，

bāng zhù mā ma féng yī shang
帮助妈妈缝衣裳，

bāng zhù jiě jie lái xiù huā
帮助姐姐来绣花。

打一生活用品 ▶

谜语 | 160

yì jiān xiǎo xiǎo fáng
一间小小房，

kāi shàn xiǎo xiǎo chuāng
开扇小小窗，

kā de yì shēng xiǎng
"咔"的一声响，

yòu shuō yòu xiào bǎ gē chàng
又说又笑把歌唱。

打一物品 ▶

157 谜底：勺

158 谜底：玻璃

159 谜底：针

160 谜底：收音机

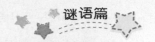

谜语 | 161

yí gè huà jiā zhēn qí guài
一个画家真奇怪,

huà huà bú yòng bǐ hé cǎi
画画不用笔和彩,

cháo tā miàn qián zhàn yí zhàn
朝它面前站一站,

kā chā yì shēng huà xia lai
咔嚓一声画下来。

打一生活用品 ▶

谜语 | 162

dīng líng líng dīng líng líng
丁零零,丁零零,

yì tóu shuō huà yì tóu tīng
一头说话一头听。

liǎ rén bú jiàn miàn
俩人不见面,

shuō huà tīng de qīng
说话听得清。

打一生活用品 ▶

谜语 | 163

yí shàn bō li chuāng
一扇玻璃窗,

lǐ miàn liàng táng táng
里面亮堂堂,

yǎn xì yòu chàng gē
演戏又唱歌,

jīng cháng huàn huā yàng
经常换花样。

打一家用电器 ▶

谜语 | 164

wū li qiān cháng téng
屋里牵长藤,

téng shang jiē gè guā
藤上结个瓜,

tài yáng xià shān hòu
太阳下山后,

guā ér kāi jīn huā
瓜儿开金花。

打一家用电器 ▶

251

161 谜底：照相机

162 谜底：电话

163 谜底：电视机

164 谜底：电灯泡

谜语|165

xiǎo wū fāng yòu fāng
小屋方又方，

yǒu mén méi yǒu chuāng
有门没有窗，

fēng ér chuī bu jìn
风儿吹不进，

sì jì bīng bīng liáng
四季冰冰凉。

打一家用电器 ▶

谜语|166

sì sì fāng fāng yì zhī xiāng
四四方方一只箱，

yī fu zāng le wǎng lǐ zhuāng
衣服脏了往里装，

děng nǐ ná chū zài yí kàn
等你拿出再一看，

gān gān jìng jìng zhēn piào liang
干干净净真漂亮。

打一家用电器 ▶

谜语|167

tiān rè máng tiān lěng máng
天热忙，天冷忙，

bù lěng bú rè tā bù máng
不冷不热它不忙，

yì nián sì jì zhù jiā li
一年四季住家里，

sòng lái wēn nuǎn hé qīng liáng
送来温暖和清凉。

打一家用电器 ▶

谜语|168

yuǎn kàn xiàng chē lún
远看像车轮，

jìn kàn xiàng bā guà
近看像八卦，

zuì huì chū fēng tou
最会出风头，

rén rén dōu ài tā
人人都爱它。

打一家用电器 ▶

165 谜底：电冰箱

166 谜底：洗衣机

167 谜底：空调

168 谜底：电风扇

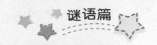

谜语 | 169

shuō tā duō dà yǒu duō dà
说它多大有多大，

rì yuè xīng chén quán zhuāng xià
日月星辰全装下。

wú rén jiàn dào tā quán mào
无人见到它全貌，

yào xiǎng xún biān bàn bu dào
要想寻边办不到。

打一天文名词 ▶

谜语 | 170

yí wèi lǎo gōng gong
一位老公公，

miàn kǒng hóng tóng tóng
面孔红彤彤，

qíng tiān zǎo zǎo qǐ
晴天早早起，

àn shí lái shàng gōng
按时来上工。

打一天体 ▶

谜语 | 171

yǒu shí guà zài shān yāo
有时挂在山腰，

yǒu shí guà zài shù shāo
有时挂在树梢，

yǒu shí xiàng zhī yuán pán
有时像只圆盘，

yǒu shí xiàng bǎ lián dāo
有时像把镰刀。

打一天体 ▶

谜语 | 172

qīng shí bǎn shí bǎn qīng
青石板，石板青，

qīng shí bǎn shang dìng yín dīng
青石板上钉银钉，

yín dīng duō shǔ bu qīng
银钉多，数不清，

yì kē yì kē liàng jīng jīng
一颗一颗亮晶晶。

打一天体 ▶

169 谜底：宇宙

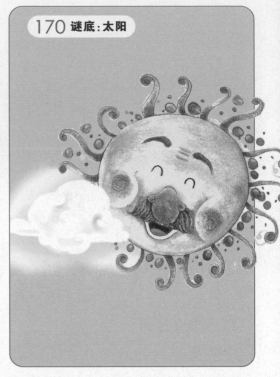

170 谜底：太阳

171 谜底：月亮

172 谜底：星星

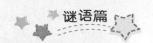

谜语 173

shàng yí bàn　xià yí bàn
上一半，下一半，

zhōng jiān yǒu xiàn kàn bu jiàn
中间有线看不见，

zhōng jiān rè　liǎng tóu hán
中间热，两头寒，

yì tiān yí yè zhuàn yì quān
一天一夜转一圈。

打一天体 ▶

谜语 174

bù xíng chuán　què jiào hé
不行船，却叫河，

méi yǒu shuǐ　shǎn yín bō
没有水，闪银波，

hé shēn cháng cháng lián guǎng yǔ
河身长长连广宇，

qiàn mǎn xīng dǒu yì wàn kē
嵌满星斗亿万颗。

打一天文名词 ▶

谜语 175

qiān kē xīng　wàn kē xīng
千颗星，万颗星，

mǎn tiān xīng xing shǔ tā míng
满天星星数它明，

yǒu tā gěi rén zhǐ fāng xiàng
有它给人指方向，

yè li háng xíng bú yòng dēng
夜里航行不用灯。

打一天体 ▶

谜语 176

yí wù zhēn xī qí
一物真稀奇，

jǐ zài qún xīng li
挤在群星里，

yí dào liàng guāng shǎn
一道亮光闪，

zhǎ yǎn luò xià dì
眨眼落下地。

打一天体 ▶

173 谜底：地球

174 谜底：银河

175 谜底：北极星

176 谜底：流星

谜语 | 177

mō bu zháo, kàn bu dào,
摸不着，看不到，

méi yán sè, méi wèi dào,
没颜色，没味道，

dòng wù zhí wù dōu xū yào,
动物植物都需要，

yì shí yí kè lí bu liǎo
一时一刻离不了。

打一自然物 ▶

谜语 | 178

shēng lái běn wú xíng
生来本无形，

zǒu dòng biàn yǒu shēng
走动便有声，

xià tiān wú tā rè
夏天无它热，

dōng tiān yǒu tā lěng
冬天有它冷。

打一自然现象 ▶

谜语 | 179

shēn tǐ qīng yòu qīng
身体轻又轻，

kōng zhōng lái lǚ xíng
空中来旅行。

yǒu shí xiàng mián xù
有时像棉絮，

yǒu shí xiàng yú lín
有时像鱼鳞。

打一自然现象 ▶

谜语 | 180

qiān tiáo xiàn, wàn tiáo xiàn,
千条线，万条线，

shǔ bu qīng, jiǎn bu duàn,
数不清，剪不断，

luò zài shuǐ li jiù bú jiàn
落在水里就不见。

打一自然现象 ▶

177 谜底：空气

178 谜底：风

179 谜底：云

180 谜底：雨

谜语|181

xiǎo bái huā fēi mǎn tiān
小白花，飞满天，

xià dào dì shang xiàng bái miàn
下到地上像白面，

xià dào shuǐ li kàn bu jiàn
下到水里看不见。

打一自然现象 ▶

谜语|182

yí gè lǎo hàn gōng
一个老焊工，

shàng bān zài yún zhōng
上班在云中，

qiǎo shǒu wǔ jīn lóng
巧手舞金龙，

tiān xià yǒu míng shēng
天下有名声。

打一自然现象 ▶

谜语|183

wǔ yán liù sè yì zhāng gōng
五颜六色一张弓，

gāo gāo guà zài bàn kōng zhōng
高高挂在半空中，

léi yǔ zhī hòu cháng cháng jiàn
雷雨之后常常见，

hán dōng là yuè wú yǐng zōng
寒冬腊月无影踪。

打一自然现象 ▶

谜语|184

hǎo chī méi zī wèi
好吃没滋味，

zāng le bù néng xǐ
脏了不能洗，

diào zài dì miàn shang
掉在地面上，

zài yě ná bu qǐ
再也拿不起。

打一自然物 ▶

181 谜底：雪

182 谜底：闪电

183 谜底：彩虹

184 谜底：水

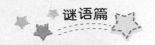

谜语|185

yuǎn kàn bái guāng guāng
远看白光光，

jìn kàn bō li yàng
近看玻璃样，

yuè lěng yuè jiē shi
越冷越结实，

yí rè shuǐ wāng wāng
一热水汪汪。

打一自然物 ▶

谜语|186

xiàng yún bú shì yún
像云不是云，

xiàng yān bú shì yān
像烟不是烟，

fēng chuī qīng qīng piāo
风吹轻轻飘，

rì chū màn màn sàn
日出慢慢散。

打一自然现象 ▶

谜语|187

shān shang yǒu zhū cǎo
山上有株草，

zhēn zhū jiē bù shǎo
珍珠结不少，

wǒ qù méi ná lái
我去没拿来，

nǐ qù yě bái pǎo
你去也白跑。

打一自然物 ▶

谜语|188

wú guō wú huǒ wú rén zhǔ
无锅无火无人煮，

zhōng nián nuǎn shuǐ liú bu wán
终年暖水流不完，

hán lái shǔ wǎng tā bú biàn
寒来暑往它不变，

chú bìng bǎo jiàn xǐ yán nián
除病保健喜延年。

打一自然物 ▶

185 谜底：冰

186 谜底：雾

187 谜底：露珠

188 谜底：温泉

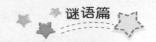

谜语 | 189

yào wèn xiōng huái yǒu duō dà
要问胸怀有多大，

qiān jiāng wàn hé róng de xià
千江万河容得下，

yí dàn shuǐ miàn fēng bào qǐ
一旦水面风暴起，

xiān qǐ qiān céng xuě làng huā
掀起千层雪浪花。

打一自然物 ▶

谜语 | 190

yì tiáo dài zi cháng yòu cháng
一条带子长又长，

wān wān qū qū shǎn yín guāng
弯弯曲曲闪银光，

yì tóu rēng jìn dà hǎi li
一头扔进大海里，

yì tóu dā zài gāo shān shang
一头搭在高山上。

打一自然物 ▶

谜语 | 191

wú fēng xiàng miàn jìng zi
无风像面镜子，

luò yǔ mǎn liǎn má zi
落雨满脸麻子，

xià tiān huái bào yā zi
夏天怀抱鸭子，

dōng tiān gài shàng bèi zi
冬天盖上被子。

打一自然物 ▶

谜语 | 192

xuán yá guà kuài dà bái lián
悬崖挂块大白帘，

qiān shǒu wàn jiǎo zhuō bu zhù
千手万脚捉不住，

yuǎn tīng qiān jūn wàn mǎ hǒu
远听千军万马吼，

jìn kàn yín quán fēi xià gǔ
近看银泉飞下谷。

打一自然物 ▶

189 谜底：海洋

190 谜底：河流

191 谜底：湖泊

192 谜底：瀑布

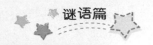

谜语 | 193

jù bǎo pén
聚宝盆，

cǎi jiǎo xià
踩脚下，

chī chuān dōu kào tā
吃穿都靠它，

yào shá jiù yǒu shá
要啥就有啥。

打一自然物 ▶

谜语 | 194

yuǎn wàng hǎo xiàng lǜ hǎi yáng
远望好像绿海洋，

fēng ér chuī guò qǐ bō làng
风儿吹过起波浪，

bú jiàn yú xiā lái xì shuǐ
不见鱼虾来戏水，

zhǐ jiàn yáng féi niú mǎ zhuàng
只见羊肥牛马壮。

打一自然物 ▶

谜语 | 195

shù mù lián chéng piàn
树木连成片，

lǜ yīn zhē zhù tiān
绿荫遮住天，

niǎo shòu zhè lǐ zhù
鸟兽这里住，

kōng qì duō xīn xiān
空气多新鲜。

打一自然物 ▶

谜语 | 196

rén rén yǒu gè hǎo péng you
人人有个好朋友，

wū hēi shēn zi wū hēi tóu
乌黑身子乌黑头，

tài yáng guāng xià bàn nǐ zǒu
太阳光下伴你走，

yí dào àn chù jiù fēn shǒu
一到暗处就分手。

打一光学现象 ▶

193 谜底：土地

194 谜底：草原

195 谜底：森林

196 谜底：影子

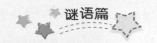

谜语 197

yí gè xiǎo wá wa
一个小娃娃，

shēng lái méi diē mā
生来没爹妈，

zhuān zhǎo xiǎo hái r wán
专找小孩儿玩，

ér tóng xǐ huan tā
儿童喜欢它。

打一玩具 ▶

谜语 198

yuán tóu yuán nǎo xiǎo dōng xi
圆头圆脑小东西，

méi gǔ méi ròu guāng yǒu pí
没骨没肉光有皮，

yì dǎ tiào de sān chǐ gāo
一打跳得三尺高，

dù li biē zhe yì bāo qì
肚里憋着一包气

打一玩具 ▶

谜语 199

yǒu de duǎn yǒu de cháng
有的短，有的长，

yǒu de sān jiǎo yǒu de fāng
有的三角有的方，

néng jià dà qiáo néng zào fáng
能架大桥能造房。

打一玩具 ▶

谜语 200

yí wèi gōng gong jīng shen hǎo
一位公公精神好，

cóng xiǎo dào lǎo bú shuì jiào
从小到老不睡觉。

shēn tǐ qīng jìn r bù xiǎo
身体轻，劲儿不小，

zuǒ tuī yòu tuī tuī bu dǎo
左推右推推不倒。

打一玩具 ▶

197 谜底：布娃娃

198 谜底：皮球

199 谜底：积木

200 谜底：不倒翁

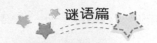

谜语 201

yí wù shēng lái qí
一物生来奇，

shòu de zhǐ yǒu pí
瘦得只有皮，

nǐ ruò ràng tā pàng
你若让它胖，

yí dìng yào shēng qì
一定要生气。

打一玩具 ▶

谜语 202

yí zuò xiǎo huā yuán
一座小花园，

xiān huā kāi bu duàn
鲜花开不断，

zhǐ gōng yì rén qiáo
只供一人瞧，

qí yú kào biān zhàn
其余靠边站。

打一玩具 ▶

谜语 203

liǎng bǎ dāo
两把刀，

bù qiē cài
不切菜，

jiǎo yì dēng
脚一蹬，

pǎo de kuài
跑得快。

打一文娱用品 ▶

谜语 204

yì pǐ mǎ ér liǎ rén qí
一匹马儿俩人骑，

zhè biān gāo lái nà biān dī
这边高来那边低，

suī rán mǎ ér bú huì pǎo
虽然马儿不会跑，

liǎng rén qí zhe xiào xī xī
两人骑着笑嘻嘻。

打一游乐设施 ▶

201 谜底：气球

202 谜底：万花筒

203 谜底：滑冰刀

204 谜底：跷跷板

谜语|205

yī zuò xiǎo shān qiū
一座小山丘，

zhuān shàng xiǎo péng yǒu
专上小朋友，

lóu tī zǒu shang qu
楼梯走上去，

chī liū xià shān tóu
味溜下山头。

打一游乐设施 ▶

谜语|206

liǎng shéng liǎng tóu shuān
两绳两头拴，

zhōng jiān jì mù bǎn
中间系木板，

zhǔ rén zuò shang qu
主人坐上去，

dàng yú tiān dì jiān
荡于天地间。

打一游乐设施 ▶

谜语|207

shuō lái yě qí guài
说来也奇怪，

yǒu máo bú shì niǎo
有毛不是鸟，

wú chì kōng zhōng fēi
无翅空中飞，

wú tuǐ jiǎo shang tiào
无腿脚上跳。

打一体育用品 ▶

谜语|208

yí gè ǎi pàng zi
一个矮胖子，

tiān tiān ái biān zi
天天挨鞭子，

biān zi chōu yí biàn
鞭子抽一遍，

pàng zi zhuàn quān zi
胖子转圈子。

打一玩具 ▶

205 谜底：滑梯

206 谜底：秋千

207 谜底：毽子

208 谜底：陀螺

谜语 | 209

liǎng shǒu yáo
两手摇，

shuāng jiǎo tiào
双脚跳，

zuān chéng mén
钻城门，

kuà suǒ qiáo
跨索桥。

打一体育活动 ▶

谜语 | 210

dēng de wěn wěn
蹬得稳稳，

zhuā de láo láo
抓得牢牢，

qián jìn wéi shū
前进为输，

hòu tuì wéi yíng
后退为赢。

打一体育活动 ▶

谜语 | 211

tiān shàng yì zhī niǎo
天上一只鸟，

yòng xiàn shuān de láo
用线拴得牢，

bú pà dà fēng chuī
不怕大风吹，

jiù pà xì yǔ piāo
就怕细雨飘。

打一玩具 ▶

谜语 | 212

yí gè wá wa dōng tiān shēng
一个娃娃冬天生，

quán shēn shàng xià lěng bīng bīng
全身上下冷冰冰，

nǐ jiào tā yě bù kēng shēng
你叫它也不吭声，

zuì pà tiān kōng wàn lǐ qíng
最怕天空万里晴。

打一雪中的玩物 ▶

209 谜底：跳绳

210 谜底：拔河

211 谜底：风筝

212 谜底：雪人

谜语 | 213

hēi hēi yì dǔ qiáng
黑黑一堵墙，

xíng zhuàng cháng yòu fāng
形状长又方，

lǎo shī jiǎng kè shí
老师讲课时，

yǒu tā cái biàn dang
有它才便当。

打一文化用品 ▶

谜语 | 214

yìng shé tou
硬舌头，

jiān jiān zuǐ
尖尖嘴，

bù chī fàn
不吃饭，

guāng hē shuǐ
光喝水。

打一文化用品 ▶

谜语 | 215

shēng lái jiān jiān tóu
生来尖尖头，

zhuān ài mǒ hēi yóu
专爱抹黑油，

xián shí dài mào zi
闲时戴帽子，

máng shí guāng zhe tóu
忙时光着头。

打一文化用品 ▶

谜语 | 216

bú shì tái lì hé guà lì
不是台历和挂历，

lì lì zài mù yǒu rì qī
历历在目有日期，

yì tiān yì zhāng qíng yǔ biǎo
一天一张晴雨表，

dà shì xiǎo shì dōu néng jì
大事小事都能记。

打一文化用品 ▶

213 谜底：黑板

214 谜底：钢笔

215 谜底：毛笔

216 谜底：日记本

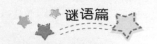

谜语|217

yì pái xiǎo wá wa
一排小娃娃，

chuān zhe huā guà guà
穿着花褂褂，

wǔ yán liù sè ài huà huà
五颜六色爱画画，

jiāo gè péng you xiǎo huà jiā
交个朋友小画家。

打一文化用品 ►

谜语|218

xiàng táng bú shì táng
像糖不是糖，

yǒu yuán yě yǒu fāng
有圆也有方，

bāng nǐ gǎi chā cuò
帮你改差错，

tā kě bú pà zāng
它可不怕脏。

打一文化用品 ►

谜语|219

céng céng bǎo kù dǎ kai lai
层层宝库打开来，

hēi zì zòng héng yì pái pái
黑字纵横一排排，

néng jì gǔ jīn tiān xià shì
能记古今天下事，

dà rén hái zi dōu xǐ ài
大人孩子都喜爱。

打一文化用品 ►

谜语|220

yàng zi yuán yuán xiàng xī guā
样子圆圆像西瓜，

xué xiào lǐ miàn cháng jiàn tā
学校里面常见它，

suī rán tǐ jī bú tài dà
虽然体积不太大，

wǔ zhōu sì hǎi quán zhuāng xià
五洲四海全装下。

打一文化用品 ►

217 谜底：蜡笔

218 谜底：橡皮

219 谜底：书

220 谜底：地球仪

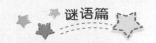

谜语 | 221

tiān tiān shàng xué
天天上学，

zhǎng jìn bú dà
长进不大，

mǎn fù zhī shi
满腹知识，

bù néng xiāo huà
不能消化。

打一文化用品 ▶

谜语 | 222

yì tiān guò qu
一天过去，

tuō jiàn yī shang
脱件衣裳，

yì nián guò qu
一年过去，

quán shēn tuō guāng
全身脱光。

打一文化用品 ▶

谜语 | 223

yǒu wèi hǎo péng you
有位好朋友，

tiān tiān lái wò shǒu
天天来握手，

màn tán tiān xià shì
漫谈天下事，

cóng lái bù kāi kǒu
从来不开口。

打一文化用品 ▶

谜语 | 224

lǎo shī bù shuō huà
老师不说话，

dù li xué wèn dà
肚里学问大，

yǒu zì bú rèn shi
有字不认识，

kuài qù qǐng jiào tā
快去请教他。

打一文化用品 ▶

221 谜底：书包

222 谜底：日历

223 谜底：报纸

224 谜底：字典

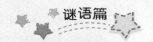

谜语｜233

liǎng zǐ mèi　yì bān cháng
两姊妹，一般长，

tóng dǎ bàn　gè shū zhuāng
同打扮，各梳妆，

mǎn liǎn hóng guāng
满脸红光，

nián nián bào jí xiáng
年年报吉祥。

打一节日用品 ▶

谜语｜234

shēn shang chuān hóng páo
身上穿红袍，

dù li zhēn xīn jiāo
肚里真心焦，

rě qǐ xīn tóu huǒ
惹起心头火，

tiào de bā zhàng gāo
跳得八丈高。

打一节日用品 ▶

233 谜底：春联

234 谜底：鞭炮

创世卓越 品质图书
TRUST JOY,QUALITY BOOKS

图书在版编目（CIP）数据

儿歌童谣　绕口令　谜语大全：注音版/龚勋主编.
—汕头：汕头大学出版社，2015.5（2019.8重印）
ISBN 978-7-5658-1803-5

Ⅰ.①儿… Ⅱ.①龚… Ⅲ.①汉语拼音—儿童读物
Ⅳ.①H125.4

中国版本图书馆CIP数据核字（2015）第088232号

儿歌童谣　绕口令　谜语大全
（注音版）

ERGE TONGYAO RAOKOULING MIYU DAQUAN: ZHUYIN BAN

总 策 划	邢　涛	电　　话	0754-82904613
主　　编	龚　勋	印　　刷	北京德富泰印务有限公司
责任编辑	宋倩倩	开　　本	720mm×1020mm 1/16
责任技编	黄东生	印　　张	19
设计制作	北京创世卓越文化有限公司	字　　数	200千字
出版发行	汕头大学出版社	版　　次	2015年5月第1版
	广东省汕头市大学路243号	印　　次	2019年8月第7次印刷
	汕头大学校园内	定　　价	68.00元
邮政编码	515063	书　　号	ISBN 978-7-5658-1803-5